Hauptkurs

Deutsch als Fremdsprache
für die Mittelstufe

Michaela Perlmann-Balme
Susanne Schwalb

ARBEITSBUCH

Max Hueber Verlag

QUELLEN:

Seite 9 Foto: Interfoto München; Text frei nach: Kindlers Literaturlexikon
Seite 15/16/17 Fotos: Süddeutscher Verlag, Bilderdienst, München
Seite 16 Text aus: Ödön von Horvath, Gesammelte Werke, Band 5, © Suhrkamp Verlag Frankfurt am Main, Seite 7
Seite 24 Foto: Landesbildstelle Berlin
Seite 25 Foto: Interfoto München
Seite 27 Text aus: Spiegel 39/1996, Seite 242, Spiegel-Verlag, Hamburg
Seite 32 Abbildung: Atlas Picture, München; Text aus: Lexikon des deutschen Films, Philipp Reclam jun. Verlag, Ditzingen
Seite 33 Text aus: Lexikon des deutschen Films, Philipp Reclam jun.Verlag, Ditzingen
Seite 35 Gedicht aus: Anspiel Nr. 39, Inter Nationes, Bonn
Seite 38 Text aus: Eltern 4/90, Seite 5, Picture Press München
Seite 47 Peter Härtling, Mein Lesebuch, Vorwort, Fischer TB 2198
Seite 49 Interfoto München; Text nach: Movie Line
Seite 50 Gedicht aus: Peter Handke, Die Innenwelt der Außenwelt der Innenwelt, Edition Suhrkamp 307
Seite 54 Ullstein Bilderdienst, Berlin /Aero Picture
Seite 56 Süddeutscher Verlag, Bilderdienst, München; Autorenbeschreibung aus: Geschichte einer Liebe in Briefen, Bildern und Dokumenten zusammengestellt von © Renate Wagner, Wien (Niedieck Linder AG)

Seite 64 Text aus: AZ vom 31.1.1994, Seite 8, Verlag die Abendzeitung, München
Seite 65 Foto und Text: Atlas Film- und Videoverleih, Moers
Seite 71/79/102 Globus-Kartendienst, Hamburg
Seite 74 Text aus: TZ vom 14./15.8.95 (cg), TZ München, Zeitungsverlag
Seite 92 Foto: Interfoto München; Text aus: Lexikon des deutschen Films, Philipp Reclam jun. Verlag, Ditzingen
Seite 99 Text aus: Spiegel special 3/1995, Seite 115, Spiegel-Verlag, Hamburg
Seite 102 Text nach: ADAC Motorwelt 11/96, Seite 135
Seite 103 Foto: Süddeutscher Verlag, Bilderdienst, München; Text oben aus: AZ vom 29.4.1996, Seite 4, Verlag die Abendzeitung, München
Text unten aus: SZ vom 15.12.1995/Bernadette Calonego, Zürich
Seite 105 Text aus: SZ vom 10./11.2.1996, Süddeutscher Verlag, München
Seite 107 Interfoto München; Text: Atlas Film- und Videoverleih, Moers
Seite 116 Text aus: SZ vom 12.11.1996 (Das Ökotaxi im Präsidenten-Konvoi)/Bernd Hendricks, New York

Wir haben uns bemüht, alle Inhaber von Text- und Bildrechten ausfindig zu machen. Sollten Rechteinhaber hier nicht aufgeführt sein, so wäre der Verlag für entsprechende Hinweise dankbar.

Dieses Werk folgt der seit dem 1. August 1998 gültigen Rechtschreibreform. Ausnahmen bilden Texte, bei denen künstlerische, philologische oder lizenzrechtliche Gründe einer Änderung entgegenstehen.

E 3. | Die letzten Ziffern
2004 03 02 | bezeichnen Zahl und Jahr des Druckes.
Alle Drucke dieser Auflage können, da unverändert,
nebeneinander benutzt werden.
2. Auflage 2000
© 1997 Max Hueber Verlag, D-85737 Ismaning
Verlagsredaktion: Maria Koettgen, München; Dörte Weers, Weßling
Umschlaggestaltung, Layout: Marlene Kern, München
Zeichnungen: Martin Guhl, Duillier Genf
Druck und Bindung: Friedrich Pustet, Regensburg
Printed in Germany
ISBN 3-19-011600-8

INHALT

INHALT

INHALT

Verben

aus-/einbürgern

erschrecken über + *Akk.*

faszinieren

promovieren

sich aufhalten in + *Dat.*

sich begeistern für + *Akk.*

sich betätigen als + *Nom.*

sich niederlassen in + *Dat.*/
  als + *Nom.*

sterben

Nomen

die Aggression, -en

der Aufenthalt

das Aussehen

der Charakter, -ere

der Egoismus

die Eifersucht

die Einbürgerung

der Emigrant, -en

der Fleiß

die Gebühr, -en

die Geldanlage, -n

die Gewohnheit, -en

die Großzügigkeit

das Leiden, -

die Maßlosigkeit

die Militärzeit

die Offenheit

die Promotion

das Recht, -e

die Reifeprüfung, -en

die Schwäche, -n

der Selbstmord, -e

die Staatsbürgerschaft

der Stolz

der Tod

die Trägheit

der Verdienst, -e

die Vorliebe, -n

das Wesen, -

der Wohnsitz, -e

die Zuverlässigkeit

Adjektive/Adverbien

altmodisch

anpassungsfähig

arrogant

äußerst

befristet (un-)

belesen

berechtigt (un-)

böse auf + *Akk.*

chronisch

dankbar für + *Akk.*

demoralisiert

depressiv

ehrlich (un-)

eifersüchtig auf + *Akk.*

eigenhändig

eingebildet

enttäuscht von + *Dat.*/
  über + *Akk.*

erschrocken über + *Akk.*

erstaunt über + *Akk.*

faul

flexibel (un-)

gebührenfrei

geduldig (un-)

gesellig (un-)

großzügig

hilfsbereit

höflich (un-)

humorvoll

interessiert an + *Dat.*

jugendlich

klug (un-)

korrekt

kritisch (un-)

lebhaft

nervös

neugierig

oberflächlich

ordentlich (un-)

pedantisch

reif (un-)

schüchtern

sensibel (un-)

sparsam

verantwortungsbewusst

verliebt in + *Akk.*

vernünftig (un-)

verschlossen

wütend auf/über + *Akk.*

ziemlich

zufrieden (un-) mit + *Dat.*

Ausdrücke

ein Haus beziehen

eine Prüfung bestehen

eine Reise unternehmen

eine Schule besuchen

fester Mitarbeiter sein

jemanden im Stich lassen

Jura studieren

mit vollen Händen geben

sich das Leben nehmen

sich einen Traum erfüllen

Wert legen auf + *Akk.*

zum Militär eingezogen werden

1

Kurstagebuch

Führen Sie ein Tagebuch. An jedem Tag sollte eine andere Kursteilnehmerin/ein anderer Kursteilnehmer den Eintrag schreiben.

Kurstagebuch

Verfasser(in): ....

Datum: ....

Was ich getan habe:

....

....

....

....

Worüber ich gelacht habe:

....

....

Der Satz des Tages:

....

....

....

....

Was für mich anstrengend war:

....

....

....

....

....

Worüber ich mich gefreut habe:

....

....

....

....

zu Seite 10, 2

1   *machen* + Adjektiv → **WORTSCHATZ**
Bilden Sie Ausdrücke und formulieren Sie passende Sätze.

bemerkbar (sich) – dick – falsch – frisch (sich) – gründlich – gut –
lustig (sich) – richtig – sauber – schlecht – schön (sich) – sichtbar –
überflüssig – verständlich (sich) – wichtig (sich)

Beispiele:
Ich esse alles gerne, was dick macht.
Ich mag es nicht, wenn sich jemand wichtig macht.

LEKTION 1

zu Seite 12, 4

__2__ Lesestrategie: Texte überfliegen → LESEN

Beim Überfliegen eines Textes geht es darum, die wichtigsten Informationen rasch zu entnehmen und sich nicht bei den Einzelheiten aufzuhalten.

a Unterstreichen Sie im Text auf Seite 12 im Kursbuch alle Wörter, die zentrale Aussagen enthalten. Es sollten höchstens vier Wörter pro Satz sein.

Beispiel:
Immer mehr <u>Ruheständler erfüllen</u> sich <u>Jugendträume</u>.
So <u>besuchten</u> allein im letzten Jahr rund 100 000 über <u>65-Jährige</u>
<u>Winnetous Heimat</u>.

b Fassen Sie nun die Aussagen des Texte in fünf Sätzen zusammen.

Beispiel:
Immer mehr ältere Leute reisen gern, zum Beispiel nach Amerika. ...

zu Seite 12, 4

__3__ Wer war eigentlich Winnetou? → LESEN

a Unterstreichen Sie im folgenden Text alle Wörter, die zentrale Aussagen enthalten.

WINNETOU, Abenteuerroman in drei Bänden von Karl May (1842-1912). – Die Geschichte der Freundschaft zwischen dem weißen Jäger, Old Shatterhand und Winnetou, dem „roten Gentleman". Der Erzähler, Old Shatterhand, ist ein braver Sohn armer Eltern. Er kommt als Glückssucher nach Amerika, wo er als Feldmesser beim Eisenbahnbau in den Wilden Westen gerät. Bei den ersten Konflikten mit Indianern zeigt er seine besondere Fähigkeit, einen Gegner mit der bloßen Faust besinnungslos zu schlagen. Dieser Fähigkeit verdankt er den Ehrennamen „Schmetterhand". Aufgrund seines fairen Verhaltens bei Kämpfen mit dem Stamm der Apachen entwickelt sich zwischen ihm und dem jungen Häuptling Winnetou eine Freundschaft. Die beiden Freunde lernen viel über die Lebensweise und die Kultur des anderen.

Winnetou ist die bekannteste Romanfigur des Schriftstellers Karl May. Die drei Bände des Abenteuerromans um den Indianerhäuptling wurden von Generationen von Jungen und Mädchen in deutschsprachigen Ländern gelesen. Durch die Verfilmung des Romans mit Pierre Brice als Winnetou und Lex Barker als Old Shatterhand wurde der Stoff auch international bekannt.

b Fassen Sie den Text zusammen.

zu Seite 12, 5

__4__ Stellung des Adjektivs im Satz → GRAMMATIK

Welche der folgenden Regeln sind korrekt? Kreuzen Sie an.

☐ Adjektive können vor einem Nomen stehen. Dann haben sie eine Endung.

☐ Adjektive müssen beim Nomen stehen und eine Endung haben.

☐ Adjektive können Teil eines Prädikats sein. Dann stehen sie am Satzende und haben keine Endung.

☐ Wenn Adjektive am Satzende stehen, sind sie immer ohne Endung.

LEKTION 1

zu Seite 12, 6

__5__ Deklination der Adjektive → **GRAMMATIK**
Wiederholen Sie die Deklination der Adjektive.

a Ergänzen Sie in der folgenden Übersicht die fehlenden Beispiele.

	Singular maskulin	Singular feminin	Singular neutral	Plural
Nominativ	der visuelle Typ	die extravagante Person	das weltoffene Wesen	
Akkusativ				
Dativ				
Genitiv				der belesenen Menschen

b Ergänzen Sie die Endungen beim unbestimmten Artikel.

	Singular maskulin	Singular feminin	Singular neutral	Plural
Nominativ	ein visueller Typ	eine extravagante Person	ein weltoffenes Wesen	belesene Menschen
Akkusativ	einen visuell…… Typ	eine extravagant…… Person	ein weltoffen…… Wesen	belesen…… Menschen
Dativ	einem visuell…… Typ	einer extravagant…… Person	einem weltoffen…… Wesen	belesen…… Menschen
Genitiv	eines visuell…… Typs	einer extravagant…… Person	eines weltoffen…… Wesens	belesen…… Menschen

zu Seite 12, 6

__6__ Endungsschema → **GRAMMATIK**
Markieren Sie die Endungen -e, -en, -er und -es in Aufgabe 5 in
verschiedenen Farben. Wie oft haben Sie -en markiert? Welche
Endungen benutzen Sie ganz selten? Formulieren Sie eine Regel,
mit der Sie persönlich sich die Endungen merken können.

LEKTION 1

zu Seite 12, 6

__7__ Artikelwörter und Adjektivendungen → GRAMMATIK
Ergänzen Sie die fehlenden Endungen.

a Gestern hatten wir unerwartet*en* Besuch von gut*en* Freunden.
b Reiner ist ein schwierig........ Typ.
c Eva hat ein sehr angenehm........ Wesen.
d Diese Frau Meyer ist wirklich eine arrogant........ Person.
e Hans hat noch andere klein........ Schwächen.
f Mit einigen von deinen schlecht........ Gewohnheiten komme ich wirklich nicht zurecht.
g Mit diesem hilfsbereit........ Kollegen kann man äußerst gut zusammenarbeiten.
h Mein fünfjähriger Sohn geht nie ohne seine speziell........ Spielsachen aus dem Haus.
i In meinem Bekanntenkreis gibt es mehrere recht humorvoll........ Menschen.
j Das hätte ich bei einer so großzügig........ Frau nicht erwartet.
k Ich mag deine neu........ Freundin.
l Es war nicht ganz leicht, die enttäuscht........ Kunden zu beruhigen.
m In dieser Prüfung gab es keine schwer........ Aufgaben.
n Jeder neu........ Pass muss beantragt werden.
o Es geht um die neu........ Telefongebühren.
p Alle interessiert........ Studenten sollen sich melden.

zu Seite 12, 6

__8__ Kombination → GRAMMATIK/WORTSCHATZ
Kombinieren Sie Adjektive mit passenden Nomen. Geben Sie fünf
Beispiele in den verschiedenen Deklinationstypen.

Adjektiv	Nomen	Beispiele im Nominativ
	die Zimmerdecke	*die hohe Zimmerdecke*
		eine hohe Zimmerdecke
		hohe Zimmerdecke
		die hohen Zimmerdecken
		hohe Zimmerdecken
klein	die Gewohnheit	
hoch	die Antwort	
teuer	die Person	
warm	die Temperatur	
gering	der Traum	
gut	die Ware	
schlecht	das Wetter	
schnell	die Bezahlung	
niedrig	die Geldanlage	
böse	die Gebühren	
eng	der Mitarbeiter	
	die Chance	
	der Schuh	

11

LEKTION 1

zu Seite 12, 6

__9__ Adjektivendungen bei Zahlen und Daten → GRAMMATIK

1–19: Zahl + *t* + Adjektivendung
Beispiel: *der/die Zwölfte*
ab 20: Zahl + *st* + Adjektivendung
Beispiel: *der/die vierundzwanzigste*
aber: *der/die Erste, Dritte, Siebte, Achte*

Sprechen Sie das jeweilige Datum aus.

a Heute ist der 3. (dritte) Januar; 7. Februar; 22. März; 1. April
b Heute haben wir den 6. (sechsten) Mai; 2. Juni; 4. Juli; 15. August;
25. September
c Wir treffen uns am 1. 1. (ersten Ersten); 11. 3.; 17. 4.
d Er feiert seinen 18. (achtzehnten) Geburtstag; 20; 32; 60
e Ich habe am 5. (fünften) Oktober Geburtstag; 8. November;
16. Dezember; 30. Januar

Und wann haben Sie Geburtstag?

zu Seite 14, 2

__10__ Positive und negative Eigenschaften → WORTSCHATZ
Streichen Sie vier weitere negative Eigenschaften.

Herr Meyer	Frau Huber	Herr Schmitz	Frau Bauer	Herr Fink
arrogant	flexibel	nervös	kritisch	ehrgeizig
pedantisch	eingebildet	sensibel	korrekt	natürlich
humorvoll	offen	ehrlich	altmodisch	zynisch
sparsam	lebhaft	ordentlich	oberflächlich	selbstbewusst
fleißig	großzügig	neugierig		lebhaft

zu Seite 14, 2

__11__ Wortbildung: *-un-*, *-los* oder ein anderes Wort? → GRAMMATIK/WORTSCHATZ
Wie heißt das Gegenteil der positiven Adjektive aus Aufgabe 10?
Verwenden Sie Ihr Wörterbuch.

Beispiele: *humorvoll – humorlos*
           sparsam – verschwenderisch

zu Seite 14, 3

__12__ Stereotype → WORTSCHATZ
Welche Eigenschaften passen zu welchen Tieren?

Tier	Eigenschaft
der Bär	ängstlich
der Fuchs	böse
der Elefant	dickköpfig
der Esel	klug
die Eule	nachtragend
der Hase	schlau
der Hund	stark
das Lamm	treu
der Wolf	fromm

LEKTION 1

zu Seite 14, 3

13 Körpersprache → WORTSCHATZ

Bilden Sie aus den Bausteinen sinnvolle Sätze.

Beispiel:
Wenn ich deprimiert bin, lasse ich den Kopf hängen.

deprimiert	beißen	Arme
gelangweilt	hängen lassen	Fingernägel
nervös	sich kratzen	mit den Füßen
wütend	kauen	Hände in die Hüften
ängstlich	stemmen	am Kopf
ratlos	verschränken	den Kopf
ablehnend	wippen	auf die Lippen

zu Seite 14, 3

14 Wortbildung: Verstärkung → GRAMMATIK/WORTSCHATZ

Wie heißt das Adjektiv? Mehrere Kombinationen sind möglich.

erz-	konservativ
ur-	alt
super-	reich
hoch-	komisch
über-	plötzlich
bild-	intelligent
wunder-	schlau
tod-	modern
	glücklich
	schick
	unglücklich
	schön

zu Seite 15, 5

15 Adjektive mit Präpositionen → GRAMMATIK

Ergänzen Sie die passenden Präpositionen oder *da(r)-* + Präposition.

a Seien Sie nett ......*zu*...... Ihren Lernpartnern!

b Entscheidend .... den Lernerfolg ist Ausdauer.

c .... der Grammatik bin ich schon ziemlich gut.

d Unerfahren bin ich dagegen noch .... Umgang mit Hörtexten.

e Ich bin .... meinen Fortschritten recht zufrieden.

f Die neue Lehrerin ist .... allen Kursteilnehmern sehr beliebt.

g Ich war nicht besonders glücklich .... das Ergebnis des Tests.

h Die Teilnehmer sind froh ...., dass mal wieder ein Ausflug gemacht wird.

i Das viele Sitzen ist doch sicherlich schädlich .... die Gesundheit.

j Ich bin .... überzeugt, dass wir in diesem Kurs viel lernen werden.

k Wir sind interessiert .... einem Kurs, in dem wir aktiv mitarbeiten können.

l Der Lernerfolg ist natürlich abhängig .... der Zeit, die ich in die Vor- und Nachbereitung investiere.

LEKTION 1

zu Seite 15, 7

16 Personenbeschreibung: Charakter und Aussehen → WORTSCHATZ

Ordnen Sie die Adjektive in die richtige Kategorie ein und ergänzen Sie das Gegenteil. Manche Wörter passen in beide Kategorien.

hübsch – angenehm – eifersüchtig – freundlich – ordentlich – temperamentvoll – herzlich – schön – höflich – sensibel – treu – humorvoll – sportlich – stolz – fleißig – zuverlässig – geduldig – verantwortungsvoll – gepflegt

Charakter	Gegenteil	Aussehen	Gegenteil
angenehm	unangenehm	hübsch	hässlich

zu Seite 15, 9

17 Graduierung der Adjektive → WORTSCHATZ

Differenzieren Sie die Aussagen durch ein graduierendes Adverb.
Es gibt mehrere Möglichkeiten

ausgesprochen – absolut – besonders – ganz – etwas – recht – sehr – total – höchst – ziemlich

Beispiele: *Es handelt sich um ein ziemlich langweiliges Buch.* (-)
Es handelt sich um ein ausgesprochen langweiliges Buch. (--)
Es handelt sich um ein total langweiliges Buch. (---)

a Das war ein interessanter Film. (+)
b Der Hauptdarsteller hat mir gut gefallen. (+++)
c Er ist ein gut aussehender Typ. (++)
d Seine Filmpartnerin war im Vergleich dazu eine blasse Figur. (-)
e Meine Lehrerin ist nett. (++)
f Unsere neue Kollegin entwickelt viele neue Ideen. (+++)
g Sie scheint eine aktive Person zu sein. (+++)

zu Seite 16, 5

18 Begründungen → SCHREIBEN

Verschenken Sie jedes der Bücher, die Sie auf Seite 17 des Kursbuchs finden, an eine Person in Ihrer Klasse. Schreiben Sie jeweils ein bis zwei Sätze, warum dieses Buch der Person gefallen wird.
Beispiel:
Reclams Lexikon des deutschen Films wird Peter sicher gefallen, denn er ist kulturell sehr interessiert. Er geht regelmäßig ins Kino und möchte sicherlich auch mehr über deutsche Kinofilme erfahren.

zu Seite 18, 1

19 Lebensstandard → SCHREIBEN

Was gehört in Ihrem Heimatland zum hohen Lebensstandard?
Formulieren Sie die Stichpunkte aus dem Kursbuch Seite 18 zu einem Text aus (fünf bis sechs Sätze). Achten Sie darauf, dass die Sätze unterschiedlich aufgebaut sind.

Beispiel:
In Deutschland hätten viele Leute gerne ein eigenes Haus mit einem großen Garten. Ein eigener Swimmingpool oder eine Sauna gehören

bei den Deutschen ebenso zum Traum vom guten Leben. Wer sich kein Haus leisten kann, möchte wenigstens in einer großen Wohnung mit einer modernen Einbauküche leben. Auch das Auto gehört zum gehobenen Lebensstandard. Es sollte möglichst sportlich sein. ...

zu Seite 21, 8

20 Lebenslauf → **WORTSCHATZ**
Setzen Sie alle Verben an der jeweils richtigen Stelle ein.
Manche Verben passen zweimal.

Kurt Tucholsky

KINDHEIT UND JUGEND SCHULZEIT	Kurt Tucholsky wurde am 9. Januar 1890 als Sohn eines Kaufmanns in Berlin geboren. Er .... in Berlin .... und .... seine gesamte Schulzeit in Berlin. Von 1896 bis 1909 .... er das Gymnasium. Dort .... er die Reifeprüfung ....
ablegen – aufwachsen – besuchen – verbringen	

AUSBILDUNG/STUDIUM UND BERUF	Er .... Jura und .... das Studium mit der Promotion .... Im Ersten Weltkrieg .... er zum Wehrdienst .... Den Wehrdienst .... er mit äußerstem Widerwillen. Er musste mehrere Jahre als Soldat bei der Armee .... Nach dem Krieg .... er eine Stelle als Leiter der humoristischen Beilage in einer Berliner Tageszeitung .... Nach einer kurzen Zeit als Privatsekretär in einem Bankhaus .... er als Mitarbeiter bei der Zeitschrift *Die Weltbühne* ....
abschließen – angestellt werden – annehmen – dienen – eingezogen werden – leisten – studieren	

AUSLANDSAUFENTHALT	1924 .... er seine Heimat Berlin zum ersten Mal für längere Zeit. Er .... ins Ausland und .... zunächst fünf Jahre in Paris. Danach beschloss er, nicht nach Deutschland .... , sondern nach Schweden .... Von dort aus .... er Reisen nach England und Frankreich.
auswandern – gehen – unternehmen – verlassen – leben – zurückkehren	

FAMILIE	Tucholsky .... mehrmals .... Die Ehe mit der Ärztin Else Weil .... nach wenigen Jahren .... Und auch von seiner zweiten Frau, Mary Gerold .... er sich .... Er .... keine Kinder.
haben – verheiratet sein – geschieden werden – sich scheiden lassen	

LEBENSENDE	Tucholsky .... am 21. 12. 1935 in Schweden. Er .... sich das Leben.
nehmen – sterben	

zu Seite 21, 8

21 Von der Wiege bis zur Bahre → WORTSCHATZ

Verbinden Sie Verben und Nomen zu sinnvollen Ausdrücken und formulieren Sie Beispielsätze.

Beispiel:
Er hielt sich lange Zeit im Ausland auf.

Nomen	Verb
auf einem Friedhof	aufhalten
das Abitur	beerdigt sein
eine Diplomprüfung	verbringen
eine Schule/einen Kurs	bestehen
Reisen	besuchen
zum Militär	eingezogen werden
Zeit im Ausland	machen
sich im Ausland	unternehmen

zu Seite 21, 9

22 Adjektivendungen → GRAMMATIK

Fügen Sie, wo nötig, die passenden Endungen hinzu.

ÖDÖN VON HORVATH: AUTOBIOGRAPHISCHE NOTIZ

Geboren bin ich am 9. Dezember 1901, und zwar in Fiume an der Adria, nachmittags um dreiviertel fünf (nach einer anderen Überlieferung um halb fünf). Als ich zweiunddreißig Pfund wog, verließ ich Fiume, trieb mich teils in Venedig und teils auf dem Balkan herum und erlebte allerhand, u. a. die Ermordung des Königs Alexander von Serbien samt seiner Ehehälfte. Als ich 1,20 Meter hoch wurde, zog ich nach Budapest und lebte dort bis 1,21 Meter. War dort ein eifrig*er* Besucher zahlreich____ Kinderspielplätze und fiel durch mein verträumt____ Wesen unliebsam auf. Bei einer Höhe von ungefähr 1,52 erwachte in mir der Eros, aber vorerst ohne mir irgendwelche besonderen Scherereien zu bereiten. Mein Interesse für Kunst, insbesondere für die schön____ Literatur, regte sich relativ spät____ (bei einer Höhe von rund 1,70), aber erst ab 1,79 war es ein Drang, zwar kein unwiderstehlich____, jedoch immerhin. Als der Weltkrieg ausbrach, war ich bereits 1,67, und als er dann aufhörte, bereits 1,80 (ich schoß im Krieg sehr rasch____ empor).

zu Seite 21, 11

23 Wortbildung: Derivation → GRAMMATIK

ⓐ Adjektive aus Nomen
Wie heißen die passenden Adjektive zu folgenden Nomen?

Nomen	Adjektiv	Nomen	Adjektiv
das Interesse	*interessant*	die Mode	
die Aggression		die Moral	
die Depression		die Praxis	
die Form		die Prominenz	
die Intelligenz		die Reaktion	
die Komik		die Revolution	

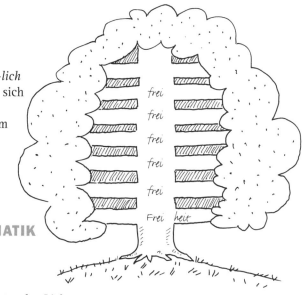

ⓑ Neue Wörter durch Vor- und Nachsilben
Ergänzen Sie die Silben *be-*, *un-*, *-en*, *-heit*, *-lich*
an der richtigen Stelle in dem Baum, so dass sich
sinnvolle Wörter ergeben.
„Konstruieren" Sie selbst einen weiteren Baum
mit den Adjektiven *neu* oder *schön*.

zu Seite 21, 11

__24__ **Wortbildung: Komposition** → **GRAMMATIK**
Suchen Sie Zusammensetzungen
mit folgenden Wörtern und erklären
Sie deren Bedeutung:

alt – arm – blau – frei – früh – halten – leicht – das Licht – neu –
das Papier – reif – schwarz – sehen – selig – sinnig – warm – die Zeit
– reich

Adjektiv + Nomen	Adjektiv + Verb	Adjektiv + Adjektiv
die Freizeit	*schwarz sehen*	*frühreif*

zu Seite 21, 11

__25__ **Adjektivendungen:** *–los, –haft, –lich, –ig, –isch; –tisch; –istisch* → **GRAMMATIK**
Welche Endung passt?

ⓐ Also, ich finde dein Verhalten wirklich verantwortungs*los* .
ⓑ Das finde ich ehr............ nicht nett von dir.
ⓒ Das war ein wirklich herz............ Essen.
ⓓ Den Rock ziehe ich nicht mehr an, er ist doch langsam etwas altmod............ .
ⓔ Der Text muss stil............ überarbeitet werden.
ⓕ Die Aussicht war einfach traum............ .
ⓖ Er hat diesen Text sicher nicht eigenhänd............ verfasst.
ⓗ Gestern haben wir uns leb............ unterhalten.
ⓘ Ich bin wirklich neugier............ , was Peter seiner Freundin zum
Geburtstag schenkt.
ⓙ Ich glaube, meine Schwester wird nie vernünft............ werden.
ⓚ Ich habe mich mit meinem Bruder nicht besonders verstanden.
Er ist leider sehr ego............ .
ⓛ Ich habe gehört, dass dein Vater ernst............ krank ist, stimmt das?
ⓜ Mein Onkel leidet an einer chron............ Krankheit.
ⓝ Luisa ist eine wirklich gesell............ Person.
ⓞ Mit meiner Zimmernachbarin komme ich nicht gut aus;
sie ist mir zu pedan............ .
ⓟ Nach nur sechs Monaten bei der neuen Firma ist er schon wieder
arbeits............ .
ⓠ Sein Vater ist echt großzüg............ . Er hat ihm eine Weltreise finanziert.
ⓡ Tucholsky war zeitlebens sehr krit............ .

LEKTION 1

zu Seite 21, 12

26 Substantivierte Adjektive → GRAMMATIK
Wie heißt das Nomen, das aus dem adjektivischen Ausdruck gebildet wird?

a jemand, der mit mir verwandt ist *ein Verwandter/eine Verwandte*
b jemand, der ohne Arbeit ist
c jemand, der mir bekannt ist
d jemand, der auf der Reise ist
e jemand, der fremd ist
f jemand, der verbeamtet ist
g jemand, der vor Gericht angeklagt wird
h jemand, der 18 Jahre alt ist

zu Seite 22, 3

27 Biographie: Albert Einstein → SCHREIBEN
Formulieren Sie Sätze aus den biographischen Daten Albert Einsteins.

Beispiel:
geb. 14. 3. 1879, Ulm, jüdische Familie
Albert Einstein wurde am 14. März 1879 als Sohn einer jüdischen Familie in Ulm geboren.

a 1894 Schulaustritt ohne Abschluss
b 1900 Studienabschluss: Diplom, Fach Physik
c 1901 drei Monate Hilfslehrer, Technikum Winterthur
d 1902 Beamter, Patentamt, Bern
e 1911 ordentlicher Professor, deutsche Universität Prag
f 1913 mit 34 Jahren, Entwurf: Allgemeine Relativitätstheorie
g 1921 Nobelpreis Physik
h 1913-1933 Direktor „Kaiser Wilhelm Institut", Berlin
i 1933 Emigration USA
j 1933-1945 Professor, Princeton, USA
k 1941 amerikanische Staatsbürgerschaft
l 1955 Tod, Princeton

zu Seite 26, 3

28 Wozu lernen Sie Deutsch? → LERNTECHNIK
Kreuzen Sie an, wann und wo Sie Deutsch sprechen, hören, lesen oder schreiben. Welche Kenntnisse bzw. Fertigkeiten sind für Sie besonders wichtig?

Hören und verstehen

☐ Unterhaltungen in alltäglichen Situationen
☐ Radiosendungen, z.B. deutschsprachige Nachrichten
☐ deutschsprachige Fernsehsendungen
☐ Kinofilme im Originalton
☐ Vorlesungen auf Deutsch
☐ geschäftliche Besprechungen auf Deutsch
☐ ....

Lesen und verstehen

☐ auf Deutsch verfasste Briefe von Freunden
☐ deutschsprachige Zeitungen, Zeitschriften usw.
☐ deutschsprachige Literatur, z.B. Romane
☐ deutschsprachige Nachschlagewerke, z.B. Lexika
☐ deutschsprachige Fachzeitschriften
☐ ....

Sprechen

☐ Gespräche auf Reisen in einem deutschsprachigen Land

☐ Gespräche auf Deutsch mit Freunden und
Bekannten, z.B. auf einer Party

☐ einen Vortrag/ein Referat auf Deutsch halten

☐ geschäftliche Verhandlungen führen

☐ ....

Schreiben

☐ private Briefe, z.B. an Freunde

☐ private Korrespondenz mit Hotels, Firmen usw.

☐ Geschäftsbriefe im Rahmen der beruflichen
Tätigkeit

☐ Seminararbeiten bzw. wissenschaftliche
Aufsätze

☐ ....

zu Seite 26, 4

29 Lehrwerk-Quiz → **LERNTECHNIK**

Wie gut kennen Sie Ihr Lehrwerk schon?
Blättern Sie Kurs- und Arbeitsbuch durch und beantworten Sie dabei
zu zweit die folgenden Fragen so schnell wie möglich. Wenn das erste
Paar „halt" ruft, beginnt die Auswertung. Für jede richtige Antwort gibt
es einen Punkt.

Frage	Antwort
Wo finde ich	
ⓐ wie das Thema von Lektion 5 lautet?	....
ⓑ Aufgaben, um meinen Wortschatz zu erweitern?	....
ⓒ die Grammatik in Übersichten dargestellt?	....
ⓓ Hilfen zum richtigen Lernen?	....
Wie viele	
ⓐ Lektionen gibt es?	....
ⓑ Hörverstehenstexte enthält das Buch?	....
ⓒ Fertigkeiten trainiert jede Lektion?	....
In welcher Lektion üben wir, auf Deutsch	
ⓐ zu telefonieren?	....
ⓑ formelle Briefe zu schreiben?	....
ⓒ einen Leserbrief zu schreiben?	....
ⓓ Nebensätze richtig zu bilden?	....
Wie sieht der Hinweis auf eine	
ⓐ Übung im Arbeitsbuch aus?	....
ⓑ Übung zur Grammatik aus?	....

1

LEKTION 1 – *Aussprachetraining*

die Vokale u – i – ü

 1 **Gedicht**

a Hören Sie ein Gedicht zuerst einmal, ohne es zu lesen.
Was ist das Thema?

b Unterstreichen Sie alle Wörter mit einem *ü*.

Frühlingslied

DIE LUFT IST BLAU, DAS TAL IST GRÜN,

DIE KLEINEN MAIENGLOCKEN BLÜHN

UND SCHLÜSSELBLUMEN DRUNTER;

DER WIESENGRUND

IST SCHON SO BUNT

UND MALT SICH TÄGLICH BUNTER.

DRUM KOMME, WEM DER MAI GEFÄLLT,

UND FREUE SICH DER SCHÖNEN WELT

UND GOTTES VATERGÜTE,

DIE DIESE PRACHT

HERVORGEBRACHT,

DEN BAUM UND SEINE BLÜTE.

Ludwig Christoph Heinrich Hölty

c Hören Sie das Gedicht noch einmal. Achten Sie auf die unterstrichenen Wörter.

d Diktieren Sie die erste Strophe Ihrem Lernpartner/Ihrer Lernpartnerin.
Danach diktiert er/sie Ihnen die zweite Strophe. Überprüfen Sie, ob Sie
alles richtig geschrieben haben.

 2 **Wortpaare** *u – ü – i*

a Sie hören jetzt einige Wortpaare. Ergänzen Sie das zweite Wort des Paares.

u – ü	ü – u	i – ü	ü – i
Burg – *Bürger*	Bücher – *Buch*	Tier – *Tür*	lügen – *liegen*
Wut –	Hüte –	vier –	Gerücht –
Luft –	Mütter –	Kiste –	spülen –
Duft –	vernünftig –	Fliege –	küssen –
Ausdruck –	für –	Ziege –	müssen –
Gruß –	Füße –	missen –	
Zug –	Brüder –		

b Sprechen Sie die Wortpaare.

die Vokale u – i – ü

3 *i* oder *ü*?
Welches Wort hören Sie?

☐ Bühne	☐ Biene
☐ Fliege	☐ Flüge
☐ kühl	☐ Kiel
☐ küssen	☐ Kissen
☐ lügen	☐ liegen

☐ müssen	☐ missen
☐ müsst	☐ Mist
☐ spielen	☐ spülen
☐ vier	☐ für
☐ Ziege	☐ Züge

4 Sätze mit *müssen*
Hören Sie die Sätze und ergänzen Sie
das fehlende Wort.

- Ich ...*muss*... jetzt unbedingt was essen.
- Ich .... mal wieder Urlaub machen.
- Gestern .... ich 20 Minuten auf die Straßenbahn warten.
- Ich .... schnell noch was erledigen.
- Warum .... du denn schon wieder verreisen?
- Über Tucholsky .... man einen Film drehen.
- Dieses Training .... man ganz anders machen.

5 Städtenamen
Hören Sie die Namen und sprechen Sie nach.
Brüssel, Düsseldorf, Überlingen, Lübeck, München, Rüsselsheim,
Günzburg, Gütersloh, Güstow

6 Zahlen als Zungenbrecher
Sprechen Sie:
5 – 15 – 55 – 550 – 555 – 5 555 –
55 555 – 555 555 – 5 555 555 – 55 555 555

LEKTION 1

Lernkontrolle: Was haben Sie in diesem Kapitel gelernt?
Kreuzen Sie an.

Rubrik	Handlungen	gut	besser als vorher	möchte ich noch vertiefen
Lesen	■ die Textsorten *Werbetext*, *Lexikonartikel* und *ausführlicher Lebenslauf* bearbeiten	☐	☐	☐
	■ einen *Werbetext* überfliegen und die Hauptaussage entnehmen	☐	☐	☐
	■ ein *Gedicht* bearbeiten und Stilmittel wie Aufbau und Ironie darin erkennen	☐	☐	☐
	■ Merkmale einer Textsorte analysieren	☐	☐	☐
	■ Informationen aus *biographischen und autobiographischen Texten* erfassen	☐	☐	☐
	■ Texte vergleichen	☐	☐	☐
Hören	■ Die Textsorten *Kurzinterview* und *Radiofeature* bearbeiten	☐	☐	☐
	■ die Kernaussagen von kurzen Statements notieren	☐	☐	☐
	■ aus einem *Radiofeature* Hauptaussagen und Einzelheiten entnehmen	☐	☐	☐
Schreiben	■ Charakter, Aussehen, Merkmale einer Person genau beschreiben	☐	☐	☐
	■ einen ausführlichen Lebenslauf verfassen	☐	☐	☐
Sprechen	■ Kontakt mit anderen Menschen aufnehmen	☐	☐	☐
	■ Fragen zur Person stellen und beantworten	☐	☐	☐
	■ eine Person mit ihren Vorlieben vorstellen	☐	☐	☐
	■ über die Biographie von Menschen sprechen	☐	☐	☐
Wortschatz	■ Beschreibung von Personen	☐	☐	☐
	■ Charaktereigenschaften	☐	☐	☐
Grammatik	■ Adjektive in der richtigen grammatikalischen Form verwenden	☐	☐	☐
	■ Wortbildung des Adjektivs verstehen	☐	☐	☐
	■ Adjektive mit festen Präpositionen	☐	☐	☐
Lerntechnik	erkannt bzw. definiert,			
	■ was für ein Lernertyp ich bin.	☐	☐	☐
	■ was ich lernen möchte.	☐	☐	☐
	■ mit welchem Interesse ich lerne.	☐	☐	☐
	■ für welche zukünftigen Tätigkeiten ich lerne.	☐	☐	☐

Sprechen Sie mit Ihrer Kursleiterin/Ihrem Kursleiter über das Ergebnis.
Sie/Er wird Ihnen Tipps zum Weiterlernen geben.

Verben

ausgehen
auswählen
blenden
durchqueren
einziehen in + *Akk.*
erreichen
erweitern
etwas (er-)schaffen
kleben an + *Dat.*
konzentrieren
mitkriegen
pilgern
preisgeben
sich abhetzen
sich begeben in/an + *Akk.*/
   zu + *Dat.*
sich verabreden
sich verspäten
umgestalten
vereinen
vorkommen in + *Dat.*

Nomen

der Abgeordnete, -n
die Anlage, -n
das Antiquariat, -e
die Apotheke, -n
der Architekt, -en
die Architektur
die Auffahrt, -en
der Bau, -ten
der Bewohner, -
der Block, ¨e
die Boutique, -n
das Dach, ¨er
das Denkmal, ¨er
die Drogerie, -n
das Einkaufzentrum, -zentren
das Elektrizitätswerk, -e
die Fabrik, -en
die Fassade, -n

der Feinkostladen, ¨en
der Fluss, ¨e
das Gebäude, -
die Gemeinde, -n
der Hintergrund, ¨e
das Kaffeehaus, ¨er
das Kaiserreich
das Kaufhaus, ¨er
der Kenner, -
die Keramik
der Kern, -e
der Kontrast, -e
die Konzerthalle, -n
die Kunstgalerie, -n
das Lokal, -e
der Marmor
die Moschee, -n
der Nachtclub, -s
der Pfeil, -e
das Pflaster, -
der Plattenladen, ¨en
das Programm, -e
der Rasen, -
das Reformhaus, ¨er
das Reich, -e
die Säule, -n
die Schachtel, -n
das Schreibwarengeschäft, -e
der Secondhandladen, ¨en
die Sehne, -n
das Spektakel, -
die Stadtrundfahrt, -en
die Szene, -n
der Turm, ¨e
der Überblick
die Verzierung, -en
das Viertel, -
das Volk, ¨er
der Vordergrund
der Vorort, -e
der Wohnblock, -s
der Ziegel, -
das Zoogeschäft, -e

Adjektive/Adverbien

bemerkenswert
privilegiert
übersichtlich (un-)
verfrüht
zukünftig

Ausdrücke

eine ganz besondere Note haben
in den Himmel schießen
in die Hände spucken
sich abschrecken lassen von + *Dat.*
sich anlegen mit jemandem
sozialer Wohnungsbau

LEKTION 2

zu Seite 29, 2

__1__ Berliner Luft → **SPRECHEN**

a Beschreiben Sie Ihrer Lernpartnerin/Ihrem Lernpartner dieses Foto möglichst genau. Sie/Er hält ihr/sein Arbeitsbuch geschlossen.

BERLINER LUFT

Keine andere deutsche Stadt verändert sich so schnell wie Berlin; nirgend-wo sonst fällt der Vergleich von Einst und Jetzt so überra-schend aus wie etwa rund um den Reichstag.

das Dach, ̈er	der Park, -s	*Im Vordergrund sieht man ...*
das Gebäude, -	der Platz, ̈e	*Im Hintergrund befindet sich ...*
	der Rasen, -	*In der Bildmitte erkennt man ...*
die Architektur	der Turm, ̈e	*vorne/hinten/links/rechts/*
die Auffahrt	der Wohnblock, -s	*oben/unten ...*
die Grünanlage, -n		
die Säule, -n		

b Ihre Lernpartnerin/Ihr Lernpartner beschreibt Ihnen ein Foto, das Sie nicht sehen. Betrachten Sie dabei das Foto oben. Versuchen Sie durch Fragen herauszufinden,

Befindet sich auf deinem Bild auch ein ...?
Hast du auch ein ...?
Gibt es bei dir ein ...?

■ was auf den beiden Fotos gleich ist.

■ was auf den beiden Fotos unterschiedlich ist.

zu Seite 31, 4

__2__ Lesestrategie: Bedeutung erschließen → **LESEN**
Lesen Sie den Text im Kursbuch Seite 30 Zeile 63-85.
Erklären Sie die folgenden Wörter entweder aus bekannten Wörtern oder aus dem Kontext.

Zeile	unbekanntes Wort	ableiten aus bekannten Wörtern	verstehen aus einem anderen Teil des Textes
Z. 65	das Herzstück		
	überquellend vor Leben		
	das Kernstück		
	in den Himmel schießen		
	beklemmend		
	mit ganz besonderer Note		

LEKTION 2

zu Seite 32, 8

_3_   Der Satz in der deutschen Sprache → LESEN
Lesen Sie, was der amerikanische Schriftsteller Mark Twain (1835-1910)
nach seiner eigenen Erfahrung über den Satz in
der deutschen Sprache geschrieben hat:

> Der Durchschnittssatz in einer deutschen Zei-
> tung ist eine erhebende, höchst eindrucksvolle
> Sehenswürdigkeit. Er nimmt so ziemlich eine
> viertel Spalte ein und enthält so zehn Satzteile,
> allerdings nicht in regelmäßiger Folge, sondern
> durcheinander gemischt. Der ganze Satz hat
> vierzehn oder fünfzehn verschiedene Subjekte, von
> denen jedes in einem besonderen Nebensatz steht,
> von dem wieder ein Nebensatz abhängt, auf den sich
> weitere drei oder vier abhängige Nebensätze bezie-
> hen. (...) Dann erst kommt das leitende Verb, aus dem
> sich ergibt, worüber der Schreiber dieser Zeilen
> eigentlich hat reden wollen.

Kreuzen Sie an, was nach Meinung des Autors für einen deutschen
Satz charakteristisch ist.

☐ Er besteht aus vielen Teilen.
☐ Das Verb wird häufig erst ganz am Ende genannt.
☐ Er ist sehr lang.
☐ Er ist übersichtlich.
☐ Er ist verschachtelt, d.h. er hat eine komplizierte Struktur.

zu Seite 32, 8

_4_   Wortstellung im Hauptsatz → GRAMMATIK
Tragen Sie die Sätze in den Kasten unten ein.

ⓐ Unsere Gruppe hat letzte Woche eine Städtereise nach Berlin unternommen.
ⓑ Wir haben am ersten Tag zu Fuß einen Stadtrundgang gemacht.
ⓒ Beate hat dabei in einer kleinen Seitenstraße ein schönes Café entdeckt.
ⓓ Wegen des schlechten Wetters mussten wir die letzten Urlaubstage
   in Museen verbringen.
ⓔ Einige von uns waren bei einer Familie privat untergebracht.
ⓕ Die anderen wohnten in einem Jugendhotel.

Position 1	Position 2	Position 3, 4 ...	Endposition
Unsere Gruppe	hat	letzte Woche eine Städtereise nach Berlin	unternommen.

LEKTION 2

zu Seite 32, 8

5 Wortstellung im Nebensatz → GRAMMATIK
Tragen Sie die Sätze in den Kasten unten ein.

ⓐ Ich finde, dass man ihre Schwächen und ihre Stärken kennen lernen muss.

ⓑ Es gibt Städte, mit denen muss man Geduld haben. Und es gibt Städte, die mit den Menschen, die darin wohnen, ständig ungeduldig sind.

ⓒ Andere Städte sind so anstrengend, dass sie einem andauernd alle Energie wegnehmen.

ⓓ In vieler Hinsicht haben Städte ihren eigenen Charakter, so dass sie für mich in jedem Film wirklich wie zusätzliche Hauptdarsteller sind.

Der Filmemacher Wim Wenders und die Städte

Hauptsatz	Konnektor	Nebensatz	Endposition
Ich finde,	dass	man ihre Schwächen und ihre Stärken	kennen lernen muss.

zu Seite 32, 8

6 Freie Angaben im Hauptsatz → GRAMMATIK
Setzen Sie die Angaben in den Satz ein.

Beispiel: Das Lokal ist geschlossen. *(heute, wegen Renovierungsarbeiten)*
    Das Lokal ist heute wegen Renovierungsarbeiten geschlossen.
oder: *Wegen Renovierungsarbeiten ist das Lokal heute geschlossen.*

ⓐ Christoph verließ das Museum. *(genervt, nach dreistündigem Schlangestehen)*

ⓑ Wir sind im Hotel geblieben. *(noch etwas, nach dem Frühstück, gerne)*

ⓒ Der Rasen ist nass. *(ziemlich, durch die starken Regenfälle)*

ⓓ Die Friedrichstraße war gesperrt. *(wegen Bauarbeiten, am Montag, teilweise)*

ⓔ Inge wartet auf ihre Freundin. *(ungeduldig, schon seit einer Stunde, vor dem Brandenburger Tor)*

ⓕ Ich trinke ein Glas Berliner Weiße. *(vor dem Nachhausegehen, noch schnell, in einer Eckkneipe)*

ⓖ Ich hätte drei Pullover angezogen. *(bei der Kälte, am liebsten, heute morgen)*

zu Seite 32, 8

7 Fehleranalyse: Wortstellung → GRAMMATIK
Warum sind die folgenden Sätze falsch?

Beispiel:
Falsch: *Um halb acht er steht normalerweise auf.*
Richtig: *Um halb acht steht er normalerweise auf.*
Korrektur: Verb an Position 2

ⓐ Sind Sie in Berlin schon mal gewesen?
ⓑ Uns am Sonntag lass ins Museum gehen.
ⓒ Er hat an sie geschrieben letzte Woche einen Brief.
ⓓ Sie fährt zur Arbeit meistens um acht Uhr mit dem Bus.
ⓔ Dieses das langweiligste Buch ist, das ich jemals gelesen habe.
ⓕ Er ging ins Ausland freiwillig vor fünf Jahren.
ⓖ Etwas sparsamer sei, wenn du dir kaufst etwas zum Anziehen!

LEKTION 2

zu Seite 32, 8

8 Fehlerkorrektur: Wortstellung → **GRAMMATIK**
Die folgenden Sätze enthalten Fehler. Unterstreichen Sie
die fehlerhaften Stellen und verbessern Sie die Wortstellung.

Beispiel: Wegen eines Maschinenschadens die U-Bahn kam heute Morgen verspätet an.

Wegen eines Maschinenschadens kam die U-Bahn heute Morgen verspätet an.
oder: *Die U-Bahn kam heute morgen wegen eines Maschinenschadens verspätet an.*

ⓐ Er hat an seinen Freund eine Karte gestern geschrieben.
ⓑ Im Hotel gab es schrecklich viel Lärm gestern Abend wegen der
Ankunft einer neuen Reisegruppe.
ⓒ Peter fuhr mit seinem Fahrrad durch die neuen Bundesländer ganz allein.
ⓓ Während unseres Berlinbesuchs waren wir im Theater auch.
ⓔ Betty schenkte ihrer Gastfamilie ein Andenken aus ihrer Heimat zum
Abschied.
ⓕ Sie versprach der Familie, bald sie wieder zu besuchen.

zu Seite 32, 8

9 Sätze erweitern → **LESEN**
Markieren Sie, an welcher Stelle im Satz die Teile in der rechten Spalte
passen. Manchmal gibt es mehrere Lösungen.

Eine Amerikanerin in Berlin

ⓐ *Becky Bernstein goes Berlin* ist der Titel eines intelligenten Romans
√ über eine amerikanische Künstlerin mit Wohnsitz in Berlin.
ⓑ Die Autorin hat Literaturwissenschaft in New York studiert und kam wie
ihre Romanfigur 1972 nach Berlin.
ⓒ Sie ist Moderatorin beim Hörfunk.
ⓓ Sie war 24.
ⓔ Die Liebe dauerte allerdings nicht sehr lange.
ⓕ Die Liebe zu Berlin hält an.
ⓖ Sie hat zu erzählen.
ⓗ Becky Bernstein hat als Kind in Brooklyn East, gewohnt.

ⓘ „Berlin ist ein kleines New York", sagt Becky einmal.
ⓙ „Es hat die Spannung einer Millionenstadt.
ⓚ Aber es hat den provinziellen Charme der alten Welt."
ⓛ Becky ist auf der Suche nach dem passenden Mann.
ⓜ Beides, teilt die Heldin mit vielen Frauen in Deutschland und in den USA.

ⓝ Das Buch präsentiert die Stadt als weitere Hauptfigur.
ⓞ Holly-Jane Rahlens erzählt vom geteilten Berlin und vom Mauerfall.
ⓟ Ein amüsanter Roman.

ⓐ von Holly-Jane Rahlens
ⓑ der Liebe wegen
ⓒ heute
ⓓ damals
ⓔ zu dem Berliner Studenten
ⓕ dagegen
ⓖ einiges
ⓗ einer schäbigen
New Yorker Gegend,
ⓘ die Romanfigur
ⓙ und das Tempo
ⓚ auch
ⓛ der richtigen Diät und
ⓜ das Übergewicht und die
unglückliche Beziehung
zu Männern,
ⓝ Berlin
ⓞ temperamentvoll
ⓟ wirklich

2

LEKTION 2

zu Seite 33, 4

10 Vom Wort zum Satz zum Text → SCHREIBEN

a Bilden Sie Sätze.

Beispiel: *Die vielen Parks finde ich äußerst angenehm.*

der	Verkehr	hier	absolut	hektisch
die	Gebäude		ausgesprochen	sauber
das	Park		besonders	(un)attraktiv
	öffentliche Verkehrsmittel		äußerst	(un)angenehm
manche	Geschäfte		recht	unerträglich
einige	Innenstadt		ziemlich	ansprechend
viele	Fußgängerzonen		ganz	schrecklich
alle	Restaurants		eher	furchtbar
	Theater		weniger	drittklassig
die vielen	Kinos		gar nicht	ungewöhnlich
die schönen	Sehenswürdigkeiten		überhaupt nicht	in Ordnung
die hässlichen	Kneipen			praktisch
...				super

b Verbinden Sie fünf Einzelsätze zu einem Text. Fügen Sie Wörter hinzu
wie *aber, auch, außerdem, dagegen, weil ...*

Beispiel: *Die vielen Parks hier finde ich äußerst angenehm.*
Sehr praktisch sind auch die öffentlichen Verkehrsmittel.

zu Seite 33, 4

11 Einkaufsmöglichkeiten von A–Z → WORTSCHATZ

Was kann man in diesen Geschäften kaufen?

Geschäfte	Waren
das Antiquariat	*alte Bücher*
die Apotheke	
die Boutique	
die Buchhandlung	
die Drogerie	
der Feinkostladen	
das Juweliergeschäft	
das Kaufhaus	
der Kiosk	
der Plattenladen	
das Reformhaus	
das Schreibwarengeschäft	
der Secondhandladen	
das Zoogeschäft	

LEKTION 2

zu Seite 33, 4

12   Unsere Hauptstadt → SCHREIBEN
Schreiben Sie einen kurzen Text (circa 200 Wörter) über die Hauptstadt
Ihres Landes. Orientieren Sie sich dabei an den Leitfragen in Aufgabe 4
im Kursbuch Seite 33.

zu Seite 34, 4

13   Wiener Kaffeehäuser → LESEN
Stellen Sie im folgenden Text die richtige Reihenfolge der Sätze wieder her.
Nummerieren Sie dazu die Sätze.

Das Wiener Kaffeehaus gehört zu Wien wie der Stephansdom.	1
Er soll - so wird erzählt - 1683 den Kaffee als Kriegsbeute aus der Türkei mit nach Wien gebracht haben.	☐
Sein Erfinder war aber kein echter Wiener, sondern ein Pole namens Franz Georg Kolschitzky.	☐
Schnell wurde der Kaffee als neues Getränk populär. Zeitungen und Spiele, vor allem Billard, gehörten zur Grundausstattung jedes guten Kaffeehauses.	☐
Für jeden Wiener gehörte es sich damals, ein Stammcafé zu haben, wo er Freunde traf, plauderte, spielte, studierte, dichtete, beobachtete, Stunden verbrachte oder auch den ganzen Tag.	☐
Erst als die so genannten Konzertcafés entstanden, durften auch Damen hinein. Das Kaffeehaus wurde zu einem Stück Wiener Kultur, wo sich Literaten, Künstler, Gelehrte, Politiker und Journalisten trafen.	☐
Bis 1840 traf sich im Kaffeehaus eine reine Männergesellschaft.	☐
Doch gerade heute erlebt das Wiener Kaffeehaus eine neue Glanzzeit als Treffpunkt und Kommunikationszentrum.	☐
Die große Zeit der Kaffeehäuser ging dann allerdings mit der österreichischen Monarchie nach dem Ersten Weltkrieg zu Ende.	☐

zu Seite 34, 4

14   In Deutschland gibt es Cafés, in Österreich Kaffeehäuser. Und in Ihrer Heimat? → SCHREIBEN
Schreiben Sie einen Text von circa 200 Wörtern. Verwenden Sie dazu
die Leitfragen aus Aufgabe 4a im Kursbuch Seite 34.

zu Seite 36, 4

15   Schlüsselwörter → LESEN
ⓐ Lesen Sie die Transkription des Hörtextes aus dem Kursbuch Seite 36. Unterstreichen
Sie die Schlüsselwörter. Das sollten nicht nur Nomen sein, sondern auch wichtige
Strukturwörter wie *nicht*, *kaum* usw.

ⓑ Fassen Sie danach in jeweils drei Sätzen zusammen, was der Mann über Wien
und München sagt.

Wien

Für mich ist typisch an Wien, dass dort zu viel Tradition zusammengetragen wurde. Es besteht kaum Platz für Neues. Wenn Sie zum Beispiel die Menschen sich anschauen, die in diesen sicherlich sehr prächtigen Häusern leben, das ist doch, wie wenn die in einem Museum leben. Und es ist tatsächlich so, dass in der Wiener Innenstadt keine neuen Häuser errichtet werden dürfen. Alles ist auf Bewahrung, alles ist auf Tradition ausgerichtet und dabei wird sehr häufig übersehen, dass es doch ganz neue Herausforderungen gibt. Zum Beispiel ist es nicht möglich, in historischen Gärten den Rasen zu betreten. Und das ist vielleicht einer der großen Nachteile, diese sehr sehr traditionelle Geisteshaltung. Andererseits - die Lage von Wien ist natürlich hervorragend. Die Stadt liegt an der Bruchstelle zwischen den Bergen und der ungarischen Tiefebene.

München

München ist eine großartige Stadt ohne jeden Zweifel. Für mich sind es hauptsächlich die Theater, die München für mich so außergewöhnlich machen. Und daneben noch die Museen dieser Stadt und die ganze Stadtarchitektur faszinieren mich sehr an München. München liegt wie Wien zwischen Bergen und zwischen der Ebene, München liegt an dem schönen Fluss, mit einem paradiesischen Englischen Garten - so was steht für mich zum Beispiel für Lebensqualität. Daneben ist es aber auch der Freizeitsektor, das kulturelle Angebot und das Angebot in den Kaufhäusern, die doch sehr hohe Lebensqualität garantieren. Bei Angebot meine ich nicht nur die großen Kaufhäuser, sondern für mich ist es das Fachangebot, das zählt, die kleinen speziellen Buchläden, die Antiquariate, die Videogeschäfte, wo Cassetten in Originalsprache gekauft werden können.

---

zu Seite 37, 3

16 Persönlicher Brief – Textsortenmerkmale → **SCHREIBEN**

Was ist typisch für einen persönlichen, d.h. einen nicht offiziellen Brief?

Datum	☐ 17/03/19..	Anredeform	☐ du
	☐ Frankfurt, 17. 03. 19..		☐ Ihr
	☐ im März 19..		☐ Sie
Anrede	☐ Lieber Sven,	Gruß	☐ Beste Grüße
	☐ Verehrte Dame,		☐ Hochachtungsvoll
	☐ Sehr geehrte Damen und Herren,		☐ Mit freundlichen Grüßen

---

zu Seite 38, 5

17 Korrektur – Persönlicher Brief → **SCHREIBEN**

Verbessern Sie die unterstrichenen Stellen.

München, den 24. Juli 19..

Liebe Angelika,

vielen Dank für deinen Brief <u>und freue ich mich darüber</u>.

über den ich mich gefreut habe.

Wie geht es dir? Mir geht es zur Zeit sehr gut. Endlich wird das Wetter hier etwas schöner. Du hast mich gefragt, <u>was mache ich</u> den ganzen Tag. Nun, an den <u>Wochentagen ich gehe</u> ins Institut. Der Unterricht gefällt mir sehr gut. <u>Nachdem</u> Unterricht gehe ich <u>in die Mediothek meistens noch</u>. Manchmal mache ich noch einen Einkaufsbummel oder <u>gleich nach Hause gehen</u>.

<u>Und am Wochenende oft ich verreise</u>. <u>Zum Beispiel ich bin</u> schon nach Rothenburg, Füssen, an den Chiemsee und nach Prag gefahren. Besonders <u>mir hat gefallen</u> der Chiemsee. Übermorgen fahre ich mit meinem Kurs in die Schweiz. Hier in München <u>bin</u> ich ins Deutsche Museum <u>besucht</u>. Ich war ungefähr vier Stunden im Deutschen Museum, <u>aber habe ich</u> nicht alles gesehen. Vielleicht gehe ich noch mal. <u>Leider, meine Wohnung ist</u> ein bisschen weit vom Institut. Stell dir vor, der Weg in die Schule dauert 40 Minuten! <u>Deshalb ich muss</u> ziemlich früh aufstehen. Das ist <u>leicht für mich nicht</u>. Ich habe viele Fotos gemacht. Wenn ich zurückkomme, zeige ich sie dir.

Ich hoffe, dass du mir bald <u>schreibst wieder</u>. Bis dahin. Alles Liebe

deine Ji

zu Seite 38, 6

__18__ Bandwurmsätze → GRAMMATIK/SPRECHEN

Am ersten Tag

Am ersten Tag **ging**

Am ersten Tag ging *ICH* ...

Spieler/in 1 beginnt einen Satz mit den Worten *Am ersten Tag*.
Spieler/in 2 wiederholt diesen Satzanfang und fügt ein Wort hinzu,
z.B. *Am ersten Tag ging*. Spieler/in 3 macht weiter usw. Ziel des Spiels
ist die Entwicklung eines sehr langen Satzes. Es dürfen nur Wörter
ergänzt werden, mit denen der Satz korrekt zu Ende geführt werden
kann. Falsch wäre also eine Ergänzung wie *Am ersten Tag ich*. Wer bei
der Wiederholung des Satzes oder bei seiner Ergänzung einen Fehler
macht oder wer nicht mehr weiter weiß, der scheidet aus.

zu Seite 40, 4

__19__ Vermutungen über Tucholskys Berlin → GRAMMATIK
Lesen Sie den Text im Kursbuch Seite 40 und ergänzen Sie die folgenden Nebensätze. Achten Sie auf die richtige Wortstellung.

Beispiel: Über dieser Stadt ist kein Himmel.
Es scheint, als ob über dieser Stadt kein Himmel <u>wäre</u>.
Vielleicht sieht man den Himmel kaum, weil die Häuser so
hoch sind.

a Der Berliner hat keine Zeit.
Es scheint, als ob/hätte ...
Vielleicht haben die Berliner keine Zeit, weil ...

b In dieser Stadt wird geschuftet.
Es scheint, als ob/würde ...
Vielleicht wird in Berlin so viel gearbeitet, dass ...

c Der Berliner kann sich nicht unterhalten.
Es scheint, als ob/könnte ...
Vielleicht können sich die Berliner nicht unterhalten, weil ...

d Die Berliner sind einander fremd.
Es scheint, als ob/wären ...
Vielleicht sind die Berliner einander fremd, weil ...

zu Seite 41, 6

__20__ Negation – Wortstellung → GRAMMATIK
Formulieren Sie das Gegenteil.
Alex und Alexandra sind sehr verschieden.

a Alex geht gern ins Kaffeehaus. *Alexandra geht nicht gern ins Kaffeehaus.*
b Er treibt sich immer im Vergnügungsviertel von Berlin herum.
c Der Plattenladen an der Ecke gefällt ihm gut.
d Er hält viel von Secondhandläden.
e Er hält jede Verabredung ein.
f Sie verspätet sich oft.
g Sie hat auch nachdem sie den ganzen Tag durch die Stadt gelaufen ist,
abends noch Lust in die Oper zu gehen.

zu Seite 41, 6

21 Negation → GRAMMATIK

‹ kein – keine ... mehr – niemals – nicht – nichts

Nichts, was es nicht gibt

a Berlin gefällt mir als Stadt *sehr gut.*

b Es bietet für Besucher *einiges* Interessantes.

c Mein Freund hatte mir *viel* Gutes darüber erzählt.

d Für viele war die Stadtführung *ein Vergnügen.*

e Der Führer hat unsere Fragen *sehr ausführlich* beantwortet.

f Wir haben heute *noch etwas* Zeit für einen Museumsbesuch.

g Hoffentlich ist das Museum *so gut besucht* wie das, in dem wir gestern waren.

h Ich war in Berlin *einmal* im Kino.

i Das Berliner Wetter hier ist *so schlecht* wie sein Ruf.

j Den Regenschirm *haben wir eingesteckt.*

k Ich unternehme *gerne* solche Städtereisen.

l Mir ist während der Reise *ein einziges Mal* langweilig gewesen.

m Das gilt wahrscheinlich *auch* für die anderen Reisenden.

n Übrigens: *Alle* Kursteilnehmer konnten die Reise mitmachen.

o Unser Bus *war groß genug,* um alle 50 Teilnehmer zu transportieren.

p Ich habe in Berlin *viel Geld* ausgegeben.

q In der Nähe des Hotels gab es *jede Menge* interessante Geschäfte.

nicht sehr gut.

zu Seite 41, 7

22 Der Himmel über Berlin → LESEN
Setzen Sie die passenden Strukturwörter ein.

HIMMEL ÜBER BERLIN
Videotipp

REGIE WIM WENDERS

Zwei Engel, Damiel und Cassiel, fliegen über Berlin. Sie können – für Menschen, ausgenommen Kinder, unsichtbar – alles sehen, alles hören, ...*auch*...... geheimste Gedanken und Gefühle. .... notieren sie in ihrem Notizblock. Intervenieren ist Engeln verboten, ihre bloße Nähe wirkt .... oft tröstlich. Es gibt .... Engel, die gegen diese Gesetze verstoßen haben bzw. wieder Menschen werden wollen. Ihr Versammlungsort ist die Berliner Staatsbibliothek. Auch Damiel, ... sich in die Trapezkünstlerin Marion verliebt hat, ist mit seinem Engel-Dasein unzufrieden. Er trifft auf den Hollywood-Star Peter Falk, der selbst einst Engel war .... in Berlin gerade einen Film über die letzten Tage des Dritten Reiches dreht. Falk ermutigt Damiel, den Schritt zur Menschwerdung zu wagen. Ein Kuss besiegelt die Liebe .... Damiel und Marion.

aber

~~auch~~

der

diese

jedoch

und

zwischen

zu Seite 41, 7

23 Satzbau variieren → GRAMMATIK
Bilden Sie Sätze.

⟨ drehe – Wim Wenders – über Berlin – einen Spielfilm – vor einigen Jahren – der deutsche Regisseur

Der deutsche Regisseur Wim Wenders drehte vor einigen Jahren einen Spielfilm über Berlin.

ⓐ Weißt du, dass ...
ⓑ Vor einigen Jahren ...
ⓒ Worüber drehte ...
ⓓ Weißt du, wer ...

⟨ erhielt – in Cannes – der Film – die goldene Palme – für die beste Regie

Der Film erhielt in Cannes die goldene Palme für die beste Regie.

ⓐ In Cannes ...
ⓑ Weißt du, wofür ...
ⓒ Wussten Sie, dass ...
ⓓ Wofür ...

⟨ ausleihen – ich – als Videokassette – würde gern – den Film

Ich würde den Film gern als Videokassette ausleihen.

ⓐ Den Film ...
ⓑ Ich hätte Lust, mir ...

zu Seite 41, 7

24 Textpuzzle → LESEN
Bringen Sie die Textabschnitte in eine sinnvolle Reihenfolge.

Klappentext: Lexikon des deutschen Films

Am 1. November 1895 führten die Brüder Max und Emil Skladanowsky im Berliner Varieté „Wintergarten" erstmals ihre „lebenden Bilder" vor. ☐1

Sie alle belegen die hohe Qualität des Films in Deutschland, Österreich und der deutschsprachigen Schweiz. ☐

Dieses Datum gilt als die Geburtsstunde des deutschen Films. Hundert Jahre sind seitdem vergangen. ☐

Dabei werden alle Epochen und alle Filmgattungen gleichmäßig berücksichtigt. Neben den berühmten Klassikern findet man zu Unrecht vergessene Streifen. ☐

Das Jubiläum bietet Anlass zum Rückblick auf die wechselvolle Geschichte dieses für die Kultur des 20. Jahrhunderts höchst einflussreichen Mediums. Dieses aktuell erarbeitete, reich bebilderte Lexikon bespricht über 600 Kinofilme. ☐

LEKTION 2

zu Seite 42, 1

25   Gebäude beschreiben → WORTSCHATZ

a Ordnen Sie diese Adjektive in die richtige Kategorie ein.
Manche passen mehrmals.

altdeutsch – barock – breit – ~~groß~~ – historisch – imposant – klar – klassisch – länglich – mod~~ern~~ – oval – rechteckig – riesig – r~~und~~ – schmal – undefinierbar – unregelmäßig – verspielt – viereckig – winzig

Form	Stil	Größe
rund	modern	groß

b Welche der folgenden Materialien sind für Gebäude nicht geeignet?

Glas – Holz – Kunststoff – Metall – Papier – Stein – Stoff

zu Seite 45, 5

26   Wörter lernen → WORTSCHATZ
Verbinden Sie die Wörter mit der richtigen Erklärung.

auswählen	sich zwischen verschiedenen Möglichkeiten entscheiden
erklären	
erweitern	von einer Sprache in die andere übertragen
konzentrieren	die Bedeutung eines Wortes angeben
übersetzen	etwas noch einmal lernen
verstehen	seine Aufmerksamkeit auf etwas richten
wiederholen	die Bedeutung von etwas wissen
	größer machen

zu Seite 45, 5

27   Idiomatik → WORTSCHATZ
Die folgenden Ausdrücke kommen in Texten des Kursbuchs vor.
Was schreiben Sie für Ihre Vokabelkartei als Bedeutung neben diese
idiomatischen Ausdrücke?

a ein Gespür bekommen für (Seite 30, Zeile 16)   = Gespür – spüren = fühlen; ein Gefühl bekommen für

b einen Platz ergattern (Seite 30, Zeile 18/19)

c sich abschrecken lassen von (Seite 30, Zeile 26/27)

d in den Himmel schießen (Seite 30, Zeile 68/69)

e eine ganz besondere Note (Seite 30, Zeile 79/80)

f in die Hände spucken (Seite 40, Zeile 13/14)

1 Hören Sie folgendes Gedicht ohne es zu lesen.

Timm Ulrichs

denk-spiel
ich denke, also bin ich.
ich bin, also denke ich.
ich bin also, denke ich.
ich denke also: bin ich?

a Hören Sie das Gedicht noch einmal und lesen Sie mit. Markieren Sie, welche Worte besonders betont werden.
b Welche Aufgabe hat die Betonung in diesem Gedicht?
c Markieren Sie die Betonung der Sätze. Ich *denke*, also *bin* ich.

2 **Der wandernde Satzakzent**

a Hören Sie vier Sätze.
b Lesen Sie die Sätze unten. Welche Teile passen zusammen?
c Lesen Sie die Sätze laut. Betonen Sie jeweils das unterstrichene Wort.

Betonung	sinnvolle Ergänzung
Er geht mit ihr,	damit sie keine Angst allein im Dunkeln hat.
Er geht mit ihr,	weil ich selber keine Zeit habe.
Er geht mit ihr,	und er ist seitdem ganz glücklich.
Er geht mit ihr,	du kannst dafür mit Heinrich gehen.

3 **Fragen und Antworten**

a Hören Sie einige Fragen ohne den Text zu lesen.
b Lesen Sie nun die Fragen unten. Welche Antwort passt zu welcher Frage?
c Lesen Sie die Fragen und Antworten zusammen vor. Betonen Sie deutlich.

Frage	Antwort
a *Wie heißen Sie?*	**a** *Doch, wieso?*
b *Sind Sie Herr Obermaier?*	**b** *Eher witzige.*
c *Wer heißt denn hier Müller?*	**c** *Ein Buch.*
d *Sie wohnen doch in der Schlossstraße, oder?*	**d** *Einen guten Krimi.*
e *Sie heißen doch nicht Lüdenscheidt, oder?*	**e** *Ich heiße Schmidt.*
f *Was willst du denn hier?*	**f** *Ich heiße so.*
g *Was für ein Buch möchtest du denn?*	**g** *Na, den spannenden natürlich.*
h *Was für Filme magst du, eher spannende oder eher witzige?*	**h** *Nein, in der Schlossallee.*
i *Willst du lieber den spannenden oder den witzigen Film sehen?*	**i** *Nein, mein Name ist Obermeister.*

4 **Sätze von hinten lesen**

a Hören Sie den Satz und unterstreichen Sie die Wörter oder Silben, die betont werden.
Erwin möchte wissen, ob du bei der Stadtrundfahrt mitmachst.

b Lesen Sie diese Teilsätze. Markieren Sie, wo jeweils der Akzent liegt.

■ kommen.
■ zu kommen.
■ nach Berlin zu kommen.
■ versprochen, mit nach Berlin zu kommen.
■ Du hast versprochen, mit nach Berlin zu kommen.

LEKTION 2

Lernkontrolle: Was haben Sie in diesem Kapitel gelernt?
Kreuzen Sie an.

Rubrik	Handlungen	gut	besser als vorher	möchte ich noch vertiefen
Lesen	die Textsorten *Reiseführer* und touristische *Kurzinformation* bearbeiten	☐	☐	☐
	Ratschläge für eine Stadtrundfahrt aus einem populären deutschsprachigen *Reiseführer* entnehmen	☐	☐	☐
	Wortschatz selbständig aus dem Kontext erschließen	☐	☐	☐
	Wortschatz durch Ableitung aus bekannten Wörtern erschließen	☐	☐	☐
	Kurztexte auf relevante Informationen hin durchsehen	☐	☐	☐
	implizite Werturteile in einem *literarischen Text* erkennen	☐	☐	☐
Hören	die österreichische Variante des Deutschen verstehen	☐	☐	☐
	ein authentisches Gespräch verstehen	☐	☐	☐
	einem längeren Gespräch Kernaussagen entnehmen	☐	☐	☐
	Werturteile verstehen	☐	☐	☐
	Gründe pro und contra verstehen	☐	☐	☐
Schreiben	einen persönlichen Brief im informellen Register schreiben	☐	☐	☐
	eine erfundene Inhaltsangabe zu einem Film verfassen	☐	☐	☐
Sprechen	ein Gebäude beschreiben	☐	☐	☐
	Konversation treiben, z.B. Partygespräche	☐	☐	☐
	Gespräche steuern	☐	☐	☐
Wortschatz	Wörter zu Lebensräumen, z.B. Stadt, Dorf, Häuser	☐	☐	☐
Grammatik	Hauptsätze und Nebensätze konstruieren	☐	☐	☐
	Wörter im Satz richtig anordnen	☐	☐	☐
	Negation ausdrücken	☐	☐	☐
Lerntechnik	sich Techniken klarmachen, wie man das Lernen neuer Wörter organisiert	☐	☐	☐

Sprechen Sie mit Ihrer Kursleiterin/Ihrem Kursleiter über das Ergebnis.
Sie/Er wird Ihnen Tipps zum Weiterlernen geben.

LEKTION 3 – *Lernwortschatz*

Verben

ablesen
achten auf + *Akk.*
analysieren
ausgehen von + *Dat.*
äußern
basieren auf + *Dat.*
bauen auf + *Akk./Dat.*
beginnen mit + *Dat.*
beibringen + *Dat./Akk.*
benachrichtigen
berichten
beschreiben
bestehen auf + *Dat.*
bestehen aus + *Dat.*
bilden
deuten
dienen zu + *Dat.*
feststellen
führen
fürchten
interviewen
kommentieren
meinen
merken
mitteilen
reagieren
sich beschäftigen mit + *Dat.*
sich eignen für + *Akk.*
sich entscheiden für + *Akk.*
sich etwas einprägen
speichern
stützen

Nomen

der Akzent, -e
die Amtssprache, -n
die Bibliothek, -en
der Dialekt, -e
der Dozent, -en
der Erwerb
der Experte, -n
die Fachliteratur
der Faktor, -en
der Flüchtling, -e
der Forscher, -
die Forscherin, -nen
das Gehirn, -e
die Geisteswissenschaft, -en
die Germanistik
die Hochschule, -n
die Hochsprache, -n
der Hörsaal, ¨e
das Institut, -e
die Integration
das Internet
der Klang, ¨e
der Kursleiter, -
die Kursleiterin, -nen
das Lehrwerk, -e
der Lernstoff
die Motivation, -en
das Muster, -
die Naturwissenschaft, -en
das Niveau, -s
das Projekt, -e
der Prozess, -e
das Repertoire, -s
die Sekundärliteratur
das Talent, -e
die Umgangssprache
die Umgebung, -en
die Untersuchung, -en
die Verbindung, -en
die Voraussetzung, -en
der Vorgang, ¨e
die Vorlesung, -en
der Zugang, ¨e
der Zweig, -e

Adjektive/Adverbien

auswendig
begabt (un-)
berufsspezifisch
eifrig
intensiv
praxisorientiert
systematisch (un-)
unerlässlich

Ausdrücke

(an) Bedeutung gewinnen
ein Gespräch führen
ein Referat halten
ein Thema anschneiden
eine Antwort geben
eine Auskunft erteilen
eine Frage stellen
eine Rede halten
einen Hinweis geben
einen Rat geben
ins Gespräch kommen
zum Ausdruck bringen
zur Diskussion stellen
zur Sprache bringen

3

LEKTION 3

zu Seite 50, 1

1 Leser fragen – Fachleute antworten → LESEN/GRAMMATIK

a Lesen Sie den Text unten und suchen Sie Beispiele für folgende Verbformen/-arten.

Verbform/-art	Beispiel
Verb im Perfekt	
Verb im Präsens	
Infinitiv	
Modalverb	
Nomen-Verb-Verbindung	*eine Übung machen*
Verb mit trennbarer Vorsilbe	
Verb mit nicht trennbarer Vorsilbe	
Verb mit Präposition	

R & A
RAT UND AUSKUNFT

Leser fragen – Fachleute antworten

Sprechenlernen schon bei Babys fördern?

Frage: Ich habe gelesen, dass Eltern schon bei ganz kleinen Kindern viel tun können, um das Sprechenlernen zu unterstützen. Mein Tobias ist jetzt drei Monate alt. Gibt es irgendwelche Übungen, die ich mit ihm machen kann?

Antwort: Wenn Sie Übungen meinen, mit denen Vokabular oder Grammatik geschult werden sollen, lautet die Antwort klar: nein. Es gab und gibt zwar immer wieder Versuche, älteren Babys zum Beispiel mit Leselernkärtchen bestimmte Worte, auch Fremdsprachen beizubringen. Doch so etwas wird leicht zur Dressur. Bei Babys mit drei, vier Monaten wäre das auch noch nicht möglich. Allerdings sind Kinder in diesem Alter schon in der Lage, Lautkombinationen und Tonhöhe sehr fein auseinanderzuhalten.

Dr. Karin Großmann
Entwicklungspsychologin

b Was möchte die Leserin wissen?
c Welche Meinung vertritt die Expertin? Was rät sie der Frau?

---

zu Seite 50, 1

2 Verbarten → GRAMMATIK

Sortieren Sie die folgenden Verben aus den Lesetexten im Kursbuch.

sich aneignen – arbeiten – aufnehmen – ausbilden – bearbeiten – beherrschen – beobachten – betreffen – bleiben – durchführen – empfehlen – erfassen – erinnern – erreichen – erwarten – fallen – führen – geschehen – herausfinden – hineinwachsen – hinzukommen – imitieren – kommen – können – leben – leisten – lernen – müssen – notieren – passieren – reagieren – setzen – sprechen – stehen – suchen – übersetzen – unterhalten – unternehmen – untersuchen – verbessern – verbinden – vergleichen – verzichten – vollziehen – vorgehen – weglassen – wollen – zeigen

LEKTION 3

Grundverben + Ergänzung	Verben mit trennbarer Vorsilbe	Verben mit nicht trennbarer Vorsilbe	Verben + feste Präposition	Modalverben
arbeiten	*sich aneignen*	*bearbeiten*	*erinnern an*	*können*
zeigen + Dat. + Akk.				

zu Seite 52, 4a

__3__ Sprachen lernen → **GRAMMATIK**
Ergänzen Sie die fehlenden Verben.

> abhängen – achten – ankommen – denken – gehen – gehören – sich gewöhnen – sich handeln – liegen – teilnehmen – verzichten – zählen

a Bei diesem Text ..... *handelt* ..... es sich **um** eine Reportage.
b Es .... darin **um** die Frage, wie Erwachsene am besten Fremdsprachen lernen.
c Der Autor .... wahrscheinlich **zu** den Menschen, die am liebsten in der fremdsprachlichen Umgebung lernen.
d Doch viele Menschen müssen aus Zeitgründen **auf** einen Auslandsaufenthalt ....
e Sie haben die Möglichkeit, **an** einem Kurs in ihrer Heimat ....
f **Zu** den in Deutschland lebenden Ausländern .... außer Gastarbeitern auch Flüchtlinge und Asylsuchende.
g Beim Sprachenlernen .... es sehr **auf** die Motivation .... , die jemand mitbringt.
h Die Erfolgsaussichten beim Erlernen einer Fremdsprache .... außerdem **vom** Alter ....
i Kinder und Jugendliche .... sich zum Beispiel schneller **an** fremde Laute als Erwachsene.
j Erwachsene dagegen .... mehr **auf** Fehler, die sie in der Grammatik machen.
k Wenn man nicht gut lernt, dann .... es oft **an** einem schlechten Gedächtnis.
l Deshalb sollte man **daran** .... , dass Wörter oft wiederholt werden müssen.

zu Seite 52, 4a

__4__ Verben mit Präpositionen → **GRAMMATIK**
Ergänzen Sie die fehlenden Präpositionen.

a Erika ist eine nette Kollegin – sie hat mir schon oft .... *bei* .... Problemen mit dem Computer **geholfen**.
b Sie **beschäftigt** sich sehr viel .... Computern und kennt sich sehr gut aus.
c Ich **wundere** mich dar.................... , wie schnell sie den Computer bedienen kann.
d Man kann sich wirklich .... sie **verlassen**.
e Ihre Zuverlässigkeit **unterscheidet** sie .... manchen anderen Kollegen.
f Erst gestern habe ich sie wieder .... Hilfe **gebeten**.
g .... diese Hilfe habe ich mich noch nicht **bedankt**.
h Ich hoffe, sie **ärgert** sich nicht .... mich.
i Wir müssen uns endlich .... eine Wohnung **entscheiden**.
j Bei dem ersten Angebot **handelt** es sich .... eine Erdgeschosswohnung.
k .... dieser Wohnung **gehört** auch ein kleiner Garten.
l Leider könnte ich mich schlecht .... den Lärm auf der Straße **gewöhnen**.
m Der Raum neben der Küche **dient** heute .... Abstellraum.
n Die Vermieter **warten** schon seit Wochen .... einen Interessenten.

o Als wir die Wohnung besichtigten, **fingen** sie gerade .... der Renovierung **an**.

p Dabei haben sie sich nicht genau .... die Vorschriften **gehalten**.

q Ich denke, wir sollten noch einmal in Ruhe .... beide Angebote **nachdenken**.

r Vielleicht sollten wir noch einmal einen Termin .... den Besitzern **vereinbaren**.

s Alle **reden** .... das Wetter, wir nicht.

t Wir **freuen** uns einfach .... jeden sonnigen Tag.

u .... die ständige Jammerei könnte ich mich wirklich **aufregen**.

v Ich **bitte** deshalb dar....................., dass dieses Thema nicht mehr angesprochen wird.

w Sich .... das Wetter zu **ärgern** hat überhaupt keinen Sinn.

x Man muss sich eben .... unser Klima **anpassen**.

y Ich **beschwere** mich ja gar nicht .... das Wetter.

z Gut, dann wechseln wir jetzt das Thema und **sprechen** .... etwas Erfreulichem.

zu Seite 52, 4b

5 Wortbildung: Nicht trennbare Vorsilbe *be-* → **GRAMMATIK**
Formen Sie die Sätze um.

Beispiel:
Bitte **antworte auf** meine Fragen. *Bitte beantworte meine Fragen.*
Wir **bedanken** uns für die Einladung. *Wir danken für die Einladung.*

a Sie **kämpfen** gegen ihre Feinde.

b Wie **beurteilen** Sie diesen Fall?

c Hoffentlich wird sie unserem Rat **folgen**.

d Wir **wohnten** in einem kleinen Appartement.

e Wir **bestaunen** den modernen Außenlift.

zu Seite 52, 4b

6 Wortbildung: Nicht trennbare Vorsilbe *ver-* → **GRAMMATIK**
Welches Nomen passt zu welchem Verb?

Verb	Nomen
verblühen	das Brot
verbrennen	die Geräte aus Eisen
verdampfen	die Häuser
verderben	die Kohle
verfallen	die Blumen
vergehen	das Lebewesen
verhungern	die Musik
verklingen	das Obst
verrosten	die Schmerzen
verschimmeln	das Wasser

zu Seite 52, 4b

7 Wortbildung: Nicht trennbare Vorsilbe *ver-* + Adjektiv → **GRAMMATIK**
Bilden Sie aus Adjektiven Verben mit der Vorsilbe *ver-*. Verwenden
Sie bei Adjektiven mit den Vokalen *a*, *o* und *u* den Umlaut.
Setzen Sie dann die passenden Verben in die Sätze auf Seite 41 ein.

besser	scharf
billig	schön
öffentlich	stark
kurz *verkürzen*	teuer

a Die Arbeitszeit wird um zwei Stunden pro Woche ver _kürzt_ .
b Die Lebenshaltungskosten haben sich in diesem Jahr kaum ver_____.
c Im Winterschlussverkauf werden alle Waren sehr stark ver_____.
d Mit den neuen Möbeln hat sie die Wohnung wirklich ver_____.
e Wir müssen unsere Anstrengungen ver_____.
f Die Arbeitsbedingungen müssen ver_____werden.
g Die Krise der Wirtschaft hat sich leider ver_____.

zu Seite 52, 4b

__8__ ## Wortbildung: Nicht trennbare Vorsilbe ent- → GRAMMATIK

Was tut man

a mit einer Weinflasche? Man ___entkorkt___ sie, d.h. man zieht den Korken heraus.
b nach einem anstrengenden Tag? Man _____ sich, d.h. man baut Spannung ab.
c mit Müll? Man _____ ihn, d.h. man sorgt für seine Beseitigung.
d mit einem Einbrecher? Man _____ ihn, d.h. man nimmt ihm die Waffe weg.
e mit einem unfähigen Politiker? Man _____ ihn, d.h. man nimmt ihm die Macht.
f mit einem Fahrschein? Man _____ ihn, d.h. man macht seinen Wert ungültig.

zu Seite 52, 4b

__9__ ## Wortbildung: Nicht trennbare Vorsilben er- und zer- → GRAMMATIK
Ergänzen Sie die Tabelle.

die Mafia – das verdorbene Essen – gekochte Kartoffeln mit der Gabel – sich selbst aus Verzweiflung – ein Stück Papier – einen Passagier in einem überfüllten Bus fast – jemanden mit einem Beil – ein Glas – eine Ameise – ein Haus durch eine Bombe – ein Haus/Auto

Grundverb	mit Vorsilbe er- oder zer-	Wen oder Was?
drücken	erdrücken zerdrücken	einen Passagier in einem überfüllten Bus fast
schlagen	erschlagen zerschlagen	
brechen	erbrechen zerbrechen	
werben	erwerben	
hängen	erhängen	
reißen	zerreißen	
treten	zertreten	
stören	zerstören	

LEKTION 3

zu Seite 52, 4c

__10__ Das Verb in der deutschen Sprache → LESEN/GRAMMATIK
Lesen Sie, was der amerikanische Schriftsteller Mark Twain (1835-1910),
der selbst Deutsch gelernt hatte, nach dieser Erfahrung über das Verb
in der deutschen Sprache schrieb:

Im Deutschen hat man auch die Angewohnheit, die Verben auseinander zu setzen und zu zerreißen. Man stellt die eine Hälfte an den Anfang irgendeines Satzbaus und die zweite Hälfte an das Ende. Etwas Verwirrenderes kann man sich nicht vorstellen. Man nennt die betreffenden Zeitwörter zusammengesetzte Verben. Ein sehr beliebtes Zeitwort ist das Verb „abreisen". Ich gebe nachfolgend ein Beispiel aus einem deutschen Roman:
„Als die Koffer gepackt waren, reiste er, nachdem er Mutter und Schwester geküßt und noch einmal sein angebetetes Gretchen an die Brust gedrückt hatte, das in ihrem einfachen weißen Musselinkleidchen, eine einzige Tuberose in den prachtvollen Wellen ihres vollen braunen Haares, fast ohnmächtig die Treppe heruntergewankt war, noch bleich von den Schrecken und Aufregungen des verflossenen Abends, aber voll Verlangen, ihr armes, schmerzerfülltes Haupt noch einmal an die Brust dessen, den sie mehr liebte als ihr Leben, lehnen zu dürfen, ab."

Um welches Phänomen geht es hier?
- ☐ die Bedeutung der Verben
- ☐ trennbare Verben
- ☐ Verben im Perfekt
- ☐ Verben mit Präpositionen

zu Seite 52, 5

__11__ Bedeutungswandel durch Vorsilben → WORTSCHATZ/GRAMMATIK
Ergänzen Sie die Sätze.

a fahren:
befahren - erfahren - verfahren

1. Die Situation ist völlig *verfahren* .
2. Ich habe mich wegen der Umleitung .
3. Bei der Befragung haben wir nichts Genaues .
4. Diese Straße ist stark .

b tragen:
betragen - ertragen - vertragen

1. Ich kann Alkohol nicht .
2. Die Rechnung 220 Euro.
3. Die Kinder haben sich leider nicht gut .
4. Ich kann diese Unsicherheit nicht länger .

c setzen:
besetzen - ersetzen - versetzen

1. Mein Kollege wird bald auf einen anderen Posten .
2. Diesen Verlust kann man schwer .
3. Dieses Haus wurde von jungen Arbeitslosen .
4. Er ist wieder nicht gekommen. Er hat mich zum zweiten Mal .

d stellen:
bestellen - erstellen - verstellen

1. Ich werde mir ein Bier .
2. Wir müssen einen Projektplan .
3. Wer hat die Uhr ?

e legen:
belegen - erlegen - verlegen

1. Unsere Zimmer sind zur Zeit alle .
2. Ich kann meinen Pass nicht finden. Ich muss ihn haben.
3. Er hat auf der Jagd gestern ein Reh .

LEKTION 3

zu Seite 52, 5

12   **Das Verb** *lassen* → **WORTSCHATZ**

Wählen Sie die richtigen Vorsilben.

an- / aus- / ent- / er- / hinter- / nach- / über- / ver- / zer- / zu-

a Der Regen hat schon wieder etwas ......*nachgelassen*.......

b Frau Meyer hat ihren Mann nach 20 Jahren Ehe ....

c Vor wenigen Wochen wurde das neue Gesetz ....

d Wie konntest du ...., dass der kleine Thomas allein das Fenster öffnet!

e Ich glaube, Sie haben beim Abschreiben des Textes einen ganzen Satz ....

f Die Firma musste wegen der schlechten Wirtschaftslage viele Angestellte ....

g Ihre Sekretärin hat angerufen, als Sie nicht da waren. Sie hat eine Nachricht für Sie ....

h Mit dem Auto stimmt was nicht. Ich habe schon mehrmals vergeblich versucht, den Motor ....

i Wenn Sie in unsere Wohnung einziehen, können wir Ihnen einige der Möbel ....

j Für dieses Rezept muss man zuerst in einer Pfanne etwas Butter ....

zu Seite 53, 5

13   **Bilderrätsel** → **WORTSCHATZ**

Sehen Sie sich die drei Bilder an. Erklären Sie, was die Leute *machen*.

zu Seite 53, 5

14   **Das Verb** *machen* → **WORTSCHATZ**

a Was kann man alles machen?
Suchen Sie weitere Beispiele.

sich Sorgen

einen Fehler

sich nützlich

machen

etwas zu essen

eine Prüfung

Gewinn

b Was kann man auf Deutsch <u>nicht</u> machen?
In der folgenden Liste verstecken sich drei Fehler. Welche sind es?

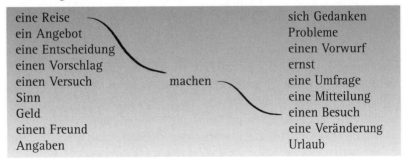

eine Reise
ein Angebot
eine Entscheidung
einen Vorschlag
einen Versuch
Sinn
Geld
einen Freund
Angaben

machen

sich Gedanken
Probleme
einen Vorwurf
ernst
eine Umfrage
eine Mitteilung
einen Besuch
eine Veränderung
Urlaub

ⓒ Nomen-Verb-Verbindungen
Welche Nomen-Verb-Verbindungen aus Aufgabe 14b lassen sich zu
einem einfachen Verb umformen?

Beispiel: *eine Reise machen – reisen*

ⓓ *machen* + trennbare Vorsilbe
Verbinden Sie die Wörter zu sinnvollen Ausdrücken und erklären Sie
die Bedeutung. Mehrere Verbindungen sind möglich.

Vorsilbe	Nomen	Ausdruck	Erklärung
auf-	einen Fleck		
zu-	das Licht		
an-	die Tür	*die Tür aufmachen*	*die Tür öffnen*
aus-	eine Bewegung		
vor-	eine schwere Zeit		
nach-	einen Termin		
ab-	das Obst aus dem Garten		
durch-	ein Vermögen		
ein-	die Arbeit eines Kollegen		
mit-	das Radio		
ver-	das Fenster		
weg-	eine Turnübung		

zu Seite 54, 2

_15_ Die Schweiz: Zahlen und Daten → SCHREIBEN
Lesen Sie den Lexikoneintrag über die Schweiz.
Formulieren Sie jedes Stichwort als ganzen Satz.
Verwenden Sie Ausdrücke wie *circa, etwa,
die Mehrzahl, die meisten, zwei Drittel* usw.
Beispiel: *Die Schweiz ist knapp 40 000
Quadratkilometer groß.*

<u>Schweiz</u> Schweizerische Eidgenossenschaft, Confédération suisse (franzö-
sisch), Confederazione svizzera (italienisch); Kurzformen: Suisse; Svizzera
Fläche: 39 987,5 km² **Einwohner:** ca. 7 000 000 **Hauptstadt:** Bern
Währung: Schweizer Franken zu 100 Rappen **Amtssprachen:** Deutsch,
Französisch, Italienisch, Rätoromanisch **Landesstruktur:** Bundesstaat, 22
Kantone **Landesnatur:** über 2/3 der Landesfläche Alpen **Bevölkerung**
(1990): 63,7 % der Einheimischen Deutsch, 19,2 % Französisch, 7,6 % Ita-
lienisch, 0,6 % Rätoromanisch, 8,9 % Sprachen der ausländischen Arbeit-
nehmer **Religion** (1990): 46,1% Katholiken, 40,0 % Protestanten, 2,2 %
Muslime, 0,3 % Juden. **Städtische Bevölkerung** (1994) 61 % **Städte:**
Zürich 343 869; Basel 174 007, Genève (Genf) 173 549, Lausanne 115 878

Schreiben Sie einen Text (etwa 200 Wörter). Beginnen Sie so: *In ... gibt es ...*

zu Seite 54, 5

_16_ Sprache(n) in meinem Heimatland → SCHREIBEN
Berichten Sie über die Situation der Sprache in Ihrem Heimatland.
Behandeln Sie folgende Aspekte:

- Wie viele Muttersprachen gibt es in Ihrem Heimatland?
- Welche Dialekte gibt es, wie stark unterscheiden sie sich von der Hochsprache?
- Welche Sprache sprechen Sie zu Hause oder mit Freunden?

zu Seite 56, 4

17   Formeller Brief → **SCHREIBEN**

Was ist typisch für einen formellen bzw. offiziellen Brief?
Kreuzen Sie jeweils eine der drei Möglichkeiten an.

Datum	☐ 17/03/19..
	☐ Frankfurt, 17. 03. 19..
	☐ im März 19..
Betreff	☐ Reklamation ...
	☐ per Fax
	☐ (keinen)
Anrede	☐ Liebe Leser,
	☐ Verehrte Dame,
	☐ Sehr geehrte Damen und Herren,
Anredeform	☐ du
	☐ Ihr
	☐ Sie
Gruß	☐ Beste Grüße
	☐ Hochachtungsvoll
	☐ Mit freundlichen Grüßen

zu Seite 56, 4

18   Brief nach Stichworten → **SCHREIBEN**

Sie erhalten folgenden Brief.

·ABC-Sprachreisen · Fürstenstr. 13 · 70913 Stuttgart

Frau Monika Schmidtbauer
Gautinger Straße 18
82234 Oberpfaffenhofen

            Stuttgart, den 27. März 19..

Sehr geehrte Frau Schmidtbauer,

wir möchten Ihnen in Zukunft noch besseren Service und Beratung bieten.

Um unsere Leistungen für Sie zu verbessern, brauchen wir Ihre Meinung. Entscheidend ist vor allem, welche Anforderungen und Wünsche Sie an ein gutes Reiseunternehmen stellen – und welche Erfahrungen Sie in letzter Zeit mit ABC-Sprachreisen gemacht haben.

Bitte schreiben Sie uns. Ihre möglichst offene und ehrliche Meinung ist uns wichtig. Sie hilft uns, die Leistungen von ABC-Sprachreisen für unsere Kunden noch besser zu gestalten. Und davon profitieren auch Sie persönlich.

Als Dankeschön schicken wir jedem Teilnehmer an dieser Aktion unseren neuesten Katalog sowie ein kleines Präsent.

Mit freundlichen Grüßen

Eberhard Schneider

Dr. Eberhard Schneider
Geschäftsführer

LEKTION 3

Verfassen Sie ein Antwortschreiben zu dem Brief auf der vorhergehenden Seite. Verwenden Sie dazu folgende Stichworte.

> **Ihre Anfrage** – *Sehr geehrt...* – vor drei Jahren eine Reise nach Staufen – positiv: Kursangebot/Ausstattung der Schule mit ... – negativ: Rahmenprogramm/wenig Zeit für ... – Wunsch für die Zukunft: Kombination Urlaub, Sprache, Sport – *Mit freundlichen Grüßen* – Name

zu Seite 56, 4

19 Stilblüten → WORTSCHATZ

Was wollte der Briefschreiber eigentlich sagen?
Korrigieren Sie die folgenden Zitate aus Briefen von Deutschlernern.

Beispiel: Vielen Dank für Ihr Schreiben, das Sie am 31.7. abgesondert haben.
Vielen Dank für Ihr Schreiben vom 31.7.

a Ich habe kürzlich Ihren interessanten Brief getroffen.
b Sie können sich nicht vorstellen, wie Ihr Päckchen mir ins Herz geht.
c Ich hoffe, dass Ihre Zeitschrift weiter zu mir laufen wird.
d Senden Sie mir bitte Fachzeitschriften als Hilfsmittel gegen meine Berufstätigkeit.
e Schicken Sie bitte die Zeitschrift mit Wasserpost.
f Ich möchte mitteilen, dass ich mich umgezogen habe.
g Meine neue Adresse liegt unten.
h Ich grüße Sie am Herz und bedanke mich.
i Lieben Sie wohl und Gott mit Ihnen!

zu Seite 59, 5

20 Pro und Contra Teleschule → WORTSCHATZ/SPRECHEN

Ergänzen Sie die fehlenden Redemittel. Nehmen Sie das Kursbuch (Seite 59) zur Hilfe.

Also, das System der Teleschule ist eine ganz moderne Sache. **Im Grunde** *geht es* dabei um die Frage: Wie können Menschen eine Fremdsprache lernen, die weit entfernt von einer Schule und einem Lehrer leben? **Wir dürfen nicht** ...., dass nicht alle Menschen in Großstädten wohnen, wo man alle Möglichkeiten hat. Der PC bringt den Unterricht gleichzeitig zu Menschen, die über verschiedene Orte der Welt verstreut sind. **Dazu** .... der Zeitersparnis. Die Lehrer schicken den Teilnehmern Übungen auf den Bildschirm ihres Computers. Jeder Schüler schickt seine gelösten Aufgaben per elektronischer Post zum Lehrer und bekommt sie auf dem selben Weg am selben Tag korrigiert zurück. **Ein weiterer wichtiger** .... ist, dass die Schüler sehr individuell unterrichtet werden. In unserer Schule **wird besonderer** .... die speziellen Bedürfnisse des einzelnen Lerners gelegt.

Also, ich muss sagen, **Sie haben mich nicht** .... Ich ...., dass die Teleschule das System der Zukunft wird. **Ich bin sogar der** ...., dass Teleschulen Teil einer ganz negativen Entwicklung sind. Ich bin nämlich .... **überzeugt**, dass die Menschen, die mit diesem System lernen, sehr einsam werden. **Ich glaube** ...., dass viele Menschen Spaß an dieser Art des Lernens haben werden. ...., **dass** man beim gemeinsamen Lernen in einer normalen Klasse viele Anregungen von den Mitschülern bekommt. **Ich finde daher** ...., **dass** man in der Teleschule schneller lernt, **nicht überzeugend. Wir** .... **schließlich nicht vergessen, dass** kaum jemand gern stundenlang am Computer eine Fremdsprache lernt, ohne mal den Lehrer direkt sprechen zu hören oder direkt mit ihm zu sprechen.

LEKTION 3

zu Seite 60, 2

21 Lesetraining: Buchstabenschlange → **LESEN**
Erkennen Sie in der Buchstabenschlange einen Text?
Markieren Sie Wortgrenzen und Satzzeichen. Lesen Sie den Text in der
Klasse mit der richtigen Betonung vor.

MITBÜCHERNBINICHAUSDERWIRKLICHKEITGEFLOHENMITBÜCHERN
BINICHINSIEZURÜCKGEKEHRTICHHABELESENDMEINEUMGEBUNGVERGESSEN
UMDIEUMGEBUNGENANDERERZUERKUNDEN
RUNDUMDIEERDEBÜCHERHABENMIRANGSTGEMACHTUNDBÜCHERHABEN AUFSÄTZENBINICHDURCHDIEZEITENGEREISTUND
MICHERMUTIGTSIESINDMEINEWAFFEEINEANDEREHABEICHNICHT

zu Seite 61, 10

22 Canettis Erinnerungen → **GRAMMATIK**
Ergänzen Sie die fehlenden Präpositionen.

auf – an – bei – gegen – mit – nach – über – um – vor – zu – für

a Canetti erinnert sich in seiner Autobiographie dar *an* , wie er Deutsch gelernt hat.
b Er ärgerte sich dar , dass seine Mutter ihm kein Buch gab.
c Ein Buch hätte ihm möglicherweise Lernen helfen können.
d Trotzdem wagte er nicht, diese Methode zu protestieren.
e Notgedrungen gewöhnte er sich schnell dar .
f Er bemühte sich sehr dar , sich den Unterricht einzustellen.
g Er arbeitete intensiv den Sätzen und seiner Aussprache.
h Das Ganze lief dar hinaus, dass er sich total die gesprochenen Sätze konzentrieren musste.
i Er schämte sich seine Fehler und sehnte sich Anerkennung.
j Auf den Hohn seiner Mutter, dem er sich fürchtete, reagierte er Angst.
k Canetti wundert sich selbst den Erfolg, den die Methode seiner Mutter gehabt hat.
l Seine Erfahrungen führten erstaunlicherweise nicht einer Abneigung gegen das Deutsche.

zu Seite 61, 10

23 Frau Canettis Methode → **GRAMMATIK**
Ergänzen Sie die fehlenden Verben im Präteritum.

abhängen – achten – ausgehen – basieren – beginnen – bestehen – sich entscheiden

a Canettis Mutter *entschied* sich für eine eigenwillige Methode.
b Diese darin, ihrem Sohn einzelne Sätze beizubringen.
c Dabei ihr Unterricht ausschließlich auf einer englisch-deutschen Grammatik.
d Sie davon , dass man über das Gedächtnis allein besser lernt, als mit Hilfe eines Buches.
e Der tägliche Unterricht damit, dass sie das Lernpensum vom Vortag abfragte.
f Damit der Lernerfolg in erster Linie davon , wie intensiv der Junge sein Gedächtnis trainierte.
g Sie außerdem ganz besonders auf die Aussprache.

LEKTION 3

zu Seite 61, 10

24 Eine deutsche Sage → LESEN/GRAMMATIK

Setzen Sie im Text die fehlenden Verben in der richtigen Form ein.

DER RATTENFÄNGER VON HAMELN

An den Ufern eines großen Flusses in Norddeutschland lag die Stadt Hameln. Die Bürger waren ehrliche Leute, die zufrieden _lebten_ . Eines Tages _____ etwas Merkwürdiges. Ratten waren in Hameln zur Plage geworden. Bald _____ es ein schwarzes Meer von Ratten in der Stadt. Sie _____ alles, was sie finden konnten. Die entsetzten Bürger versammelten sich im Rathaus und _____ , dass der Bürgermeister und die Stadträte etwas unternehmen.

fressen
geben
~~leben~~
passieren
verlangen

„Wir müssen Hilfe holen", sagte der Bürgermeister ernst. In dem Moment _____ ein großer, schlanker Mann herein, der bunte Kleider _____ und eine lange, goldene Flöte in der Hand hielt.
„Ich bin der Rattenfänger", _____ der Fremde.
„Ich habe schon andere Städte von Ungeziefer befreit, und für eintausend Gulden erlöse ich Euch von Euren Ratten."
„Eintausend Gulden!", rief der Bürgermeister. „Wir geben Euch fünfzigtausend, wenn Ihr das _____ !"
„Eintausend genügen", sagte der Fremde ruhig. „Morgen früh, bei Sonnenaufgang, wird es in Hameln keine einzige Ratte mehr _____ .

erklären
geben
schaffen
tragen
treten

Im grauen Licht der Morgendämmerung _____ man den süßen Klang der Flöte in der Stadt. Der Rattenfänger _____ langsam durch die Straßen. Aus allen Türen und Fenstern _____ die Ratten geklettert und liefen quietschend hinter der Musik her. Gefolgt von einem Heer von Ratten ging er zum Fluss. Er _____ knietief im fließenden Wasser. Die Ratten schwärmten hinter ihm her und _____ .

ertrinken
gehen
hören
kommen
stehen

Die Stadträte _____ sich die Hände vor Freude, dass sie ihr Problem so schnell los geworden waren. Bald _____ jedoch jemand an der Tür des Sitzungssaales. „Meine eintausend Gulden", sagte der Rattenfänger.
„Ach ja", _____ der Bürgermeister herablassend. „Nun, guter Mann, die Ratten sind jetzt alle tot. Das _____ wirklich nicht viel Arbeit. Ich finde, Ihr solltet mit fünfzig Gulden zufrieden sein."
„Eintausend Gulden, oder Ihr werdet es _____ !", sagte der Flötenspieler wütend.
Der Bürgermeister _____ den Kopf.
„Fünfzig oder gar nichts." „Was man verspricht, sollte man auch _____ ", warnte der Rattenfänger und verschwand.

bereuen
erwidern
halten
klopfen
reiben
schütteln
sein

In jener Nacht _____ die Einwohner von Hameln zum ersten Mal seit Wochen gut. Als bei Tagesanbruch der sonderbare Klang einer Flöte durch die Straßen strich, hörten es nur die Kinder. Von der süßen Musik angezogen, _____ sie aus den Häusern. Der Rattenfänger _____ die Kinder auf einen großen Berg in eine Höhle. Als alle Kinder in der Höhle waren, rollte ein großer Felsbrocken vor den Eingang. Als die Bürger aufwachten und _____ , dass ihre Kinder verschwunden waren, suchten sie sie überall. Umsonst. „Wir waren zu geizig", sagten die Stadträte traurig und _____ an die Warnung des Rattenfängers. Von den Kindern hat man nie wieder etwas _____ . Aber es heißt, dass jenseits des großen Berges glückliche Menschen leben, die die Nachkommen der Kinder von Hameln sein sollen.

denken
entdecken
führen
hören
schlafen
strömen

LEKTION 3

zu Seite 63, 2

Videotipp

__25__ Kaspar Hauser → LESEN

a Lesen Sie die Inhaltsangabe. Was hat der Film mit dem Thema Sprache zu tun?

b Finden Sie Beispiele für folgende Grammatikthemen:

Grammatikthema	Beispiel
Verben mit Präpositionen + Dat.	*vertauschen mit*
Verben mit Präpositionen + Akk.	
Verben mit trennbarer Vorsilbe	
Verben mit nicht trennbarer Vorsilbe	

KASPAR HAUSER – VERBRECHEN AM SEELENLEBEN

URAUFFÜHRUNG FILMFEST MÜNCHEN 1993 *DREHBUCH* PETER SEHR
GENRE POLIT-THRILLER, BIOGRAPHIE, HISTORIENFILM

Der Film erzählt die Lebensgeschichte Kaspar Hausers, der nach seiner Geburt als Erbprinz am badischen Hof im Jahre 1812 von einer skrupellosen Gräfin mit einem sterbenden Säugling vertauscht wird. Man hält das tote Baby für den letzten Erben. Durch diese Intrige beeinflusst die Gräfin die Thronfolge in ihrem Sinne. In einem unbewohnten Schloss im Keller hält man Kaspar Hauser zwölf Jahre lang eingesperrt. Er wächst fast ohne menschlichen Kontakt auf. 1828 wird der fast sprachlose Jüngling von seinen Bewachern nach Nürnberg gebracht und freigesetzt. Dort wird er zunächst über seine Herkunft ausgefragt, ins Gefängnis gesteckt und dort von der Bevölkerung als Kuriosität bestaunt. Nach der Intervention eines Juristen wird Kaspar bei einem Professor untergebracht und lernt innerhalb kürzester Zeit Sprechen, Lesen und Schreiben. Kaspar Hauser wird ein pädagogischer Forschungsfall. Doch bald darauf holt die Vergangenheit den jungen Mann ein: Er entgeht nur knapp einem Mordanschlag und wird in Intrigen seiner aristokratischen Feinde verwickelt.

Der Findling, der ein Prinz war und zwölf Jahre in einem Kerker gehalten wurde – ein authentischer Fall und ein bis heute nicht ganz geklärter Polit-Thriller. Peter Sehr erzählt diese Geschichte chronologisch, detailliert, mit vielen Aspekten der neuen Hauser-Forschung.

zu Seite 63, 3

__26__ sagen, erzählen, reden, sprechen → WORTSCHATZ

Wie lauten diese Wörter in Ihrer Muttersprache?

Deutsch	Muttersprache
sprechen	
erzählen	
sagen	
reden	

Ergänzen Sie die Sätze. Manchmal sind mehrere Lösungen möglich.

a „Hallo", ...*sagt*........ sie, „mein Name ist Elfi. Ich arbeite hier."

b Elfi .... , woher sie kommt und was sie bisher gemacht hat.

c Meine kleine Tochter lernt gerade ....

d Ich .... Spanisch und Französisch. Mein Freund .... auch Französisch.

e Er .... ununterbrochen.

f .... doch etwas zu ihm!

g Kann ich mal bitte mit deiner Mutter .... ?

h .... doch bitte etwas lauter mit mir!

i Man .... , er habe Millionen verdient.

j „Um Gottes willen", ... er, „du hättest mich beinahe umgebracht."

__1__ Lesen Sie Peter Handkes Gedicht einmal laut.

Der Rand der Wörter I

DER STADTRAND	:	DER RAND DER STADT
DER GLETSCHERRAND	:	DER RAND DES GLETSCHERS
DER GRABENRAND	:	DER RAND DES GRABENS
DER SCHMUTZFLECKRAND	:	DER RAND DES SCHMUTZFLECKS
DER FELDRAND	:	DER RAND DES FELDES
DER WEGRAND	:	DER RAND DES WEGES
DER TRAUERRAND	:	DER RAND DER TRAUER

Peter Handke

 __2__ **Der Wortakzent**
Hören Sie diese Wörter. Unterstreichen Sie die betonten Silben.
Lesen Sie die Wörter laut.

<u>Buch</u>	<u>Hand</u>buch	<u>Kurs</u>buch	das <u>Kurs</u>buch
Land	Inland	Ausland	das Ausland
Hund	Wolfshund	Wachhund	der Wachhund
Tuch	Betttuch	Handtuch	das Handtuch

 __3__ **Worterweiterung**
Hören Sie sechs Verben.

a Unterstreichen Sie beim Hören die Silbe, auf der der Akzent liegt.

<u>ler</u>nen	<u>Ler</u>ner	<u>Ler</u>nerin	die <u>Ler</u>nerinnen
lehren			
lesen			
dichten			
singen			
spielen			

b Bilden Sie die dazugehörigen Nomen.
c Was passiert mit dem Akzent, wenn das Wort mehr Silben bekommt und ein Artikel dazukommt?
d Hören Sie die Wörter noch einmal und sprechen Sie nach.

4

Betonung von trennbaren Verben

Hören Sie sechs Verbpaare.
Unterstreichen Sie beim Hören die Akzentsilbe.
Was passiert mit dem Akzent?

<u>ma</u>chen	<u>mit</u>machen
geben	abgeben
schreiben	aufschreiben
hören	zuhören
sprechen	nachsprechen
lesen	vorlesen

5

Trennbar?

Hören Sie sechs Sätze.
Unterstreichen Sie beim Hören die Akzentsilbe im Verb.
In welcher Spalte befinden sich die trennbaren Verben?

a Könnten Sie bitte das Fenster <u>zu</u>machen.

b Das Fenster ist so schmutzig, man kann kaum mehr **durchschauen**.

c Ich würde dich gern bald **wiedersehen**.

a Ach nein, die Hausaufgaben brauchst du jetzt nicht **zu machen**.

b Er ist ein geheimnisvoller Typ. Keiner kann ihn **durchschauen**.

c Seit seiner Operation kann er **wieder sehen**.

3

LEKTION 3

Lernkontrolle: Was haben Sie in diesem Kapitel gelernt?
Kreuzen Sie an.

Rubrik	Handlungen	gut	besser als vorher	möchte ich noch vertiefen
Lesen	die Textsorten *Umfrage*, *Sachtext* und *Autobiographie* bearbeiten	☐	☐	☐
	Hauptaussagen einer *Reportage* entnehmen	☐	☐	☐
	implizite Informationen aus einem *literarischen Text* erschließen	☐	☐	☐
Hören	die schweizerische Variante des Deutschen bearbeiten	☐	☐	☐
	einem längeren informativen Gespräch Hauptaussagen entnehmen	☐	☐	☐
Schreiben	typische Ausdrucksweisen des formellen Briefes bearbeiten	☐	☐	☐
	Textbausteine für einen Schreibanlass auswählen	☐	☐	☐
	einen Brief im formellen Register verfassen	☐	☐	☐
Sprechen	über etwas spekulieren	☐	☐	☐
	etwas erläutern	☐	☐	☐
	in einer Debatte argumentieren	☐	☐	☐
Wortschatz	Wörter zu den Themen „Sprache" und „Lernen" erarbeiten und lernen	☐	☐	☐
Grammatik	Aufbau und Bedeutung komplexer Verbal-Ausdrücke, z.B. Verben mit Präpositionen	☐	☐	☐
	Wortbildung des Verbs	☐	☐	☐
	Verwendung der Vergangenheitsformen	☐	☐	☐
Lerntechnik	bessere Organisation des Grammatiklernens	☐	☐	☐

Sprechen Sie mit Ihrer Kursleiterin/Ihrem Kursleiter über das Ergebnis.
Sie/Er wird Ihnen Tipps zum Weiterlernen geben.

LEKTION 4 – *Lernwortschatz*

Verben

ableugnen + *Akk.*

auf sich nehmen + *Akk.*

auseinander gehen

befürchten

ermutigen

genießen

heiraten

klammern

neigen zu + *Dat.*

sich anfreunden mit + *Dat.*

sich durchsetzen

sich einlassen auf + *Akk.*

sich orientieren an + *Dat.*

sich verbergen

sich verlieben in + *Akk.*

sich verloben mit + *Dat.*

übereinstimmen

verheiratet sein mit + *Dat.*

Nomen

die Abwechslung, -en

die Annäherung, -en

die Bedrohung, -en

das Bedürfnis, -se

die Bereicherung, -en

die Bereitschaft, -en

die Braut, ̈e

der Bräutigam, -e

die Ehefrau, -en

der Ehemann, ̈er

die Entscheidung, -en

der Flirt, -s

der Forscher, -

der/die Geliebte, -n

die Harmonie, -n

der Heiratsantrag, ̈e

die Heiratsanzeige, -n

der Heiratsschwindler, -

die Heiratsvermittlung, -en

der Kosename, -n

die Liebesbeziehung, -en

der Liebesentzug

die Liebesheirat

der Liebeskummer

das Liebesleben

die Liebesnacht, ̈e

das Liebespaar, -e

das Liebesverhältnis, -se

der Liebhaber, -

der Pfarrer, -

die Quelle, -n

das Risiko, Risiken

das Signal, -e

die Souveränität

die Spannung, -en

die Studie, -n

die Tante, -n

der Taufpate, -n

die Tierliebe

der Trauschein, -e

der Trauzeuge, -n

die Trennung, -en

das Verhalten

der Verhaltensforscher, -

die Verlobung, -en

der/die Verlobte, -n

die Zweideutigkeit, -en

Adjektive/Adverbien

angestrengt

potentiell

reizvoll

verbindlich (un-)

verlockend

Konnektoren

daraufhin

freilich

wobei

Ausdrücke

auf die Nerven gehen

auf leisen Sohlen daherkommen

das Herz höher schlagen lassen

den Ton angeben

die zweite Geige spielen

du kannst mir den
  Buckel runterrutschen

Entscheidungen treffen

etwas auf sich nehmen

etwas aufs Spiel setzen

etwas aus den Augen verlieren

LEKTION 4

zu Seite 67, 1

1   Bildbeschreibung → SPRECHEN

Verbinden Sie die Sätze 1-10 so, dass ein flüssiger Text entsteht.

In einem Bett ....,	1. Eine Frau ist im Bett.
die	2. Die Frau hat ein Nachthemd an und einen Hut auf.
und	3. Ein Mann sitzt auf dem Bettrand.
Auf dem Bettrand .... in Uniform.	4. Der Mann trägt eine Uniform.
Er hält ....,	5. Der Mann hält etwas in der Hand. Es ist wahrscheinlich ein Säbel.
wahrscheinlich	6. Die Frau legt dem Mann den Arm um den Hals.
Während sie	7. Die Frau schaut den Mann verführerisch an.
und ihn ....,	8. Der Mann wirkt betont korrekt und distanziert.
wirkt	9. Wahrscheinlich will die Frau den Mann zu sich ins Bett ziehen.
Es sieht so aus, als ob sie	10. Die Szene wirkt künstlich.
Insgesamt	

zu Seite 69, 8

2   Das Nomen in der deutschen Sprache → LESEN/GRAMMATIK

Der amerikanische Autor Mark Twain schreibt über das Nomen (Substantiv):

Jedes deutsche Substantiv hat sein Geschlecht, aber in der Verteilung liegt weder Sinn noch Methode. Infolgedessen bleibt nichts weiter übrig, als jedes Wort mit seinem Geschlecht auswendig zu lernen. Aber dazu gehört ein Gedächtnis vom Umfang eines Geschäftshauptbuches. Im Deutschen ist „das junge Mädchen" geschlechtslos, „Rübe" dagegen nicht. (...) Durch irgendein Versehen des Schöpfers der deutschen Sprache ist eine Frau weiblich, ein Weib dagegen nicht, was doch wirklich ein Unglück ist. Das Weib, wie gesagt, hat kein Geschlecht, sondern ist sächlich.

a Mit welchem Aspekt des Nomens bzw. Substantivs beschäftigt sich Mark Twain hier?

- ☐ mit der Deklination
- ☐ mit dem Genus
- ☐ mit dem Numerus

b Nennen Sie ein Parallelbeispiel zu _das junge Mädchen_.

LEKTION 4

zu Seite 69, 8

_3_ Singular und Plural → GRAMMATIK

Ergänzen Sie die fehlenden Wörter. Geben Sie im Singular auch den Artikel an. Sehen Sie sich dazu die Übersicht im Kursbuch auf Seite 81, 2 an. Geben Sie den passenden Pluraltyp an.

Singular	Plural	Pluraltyp
die Eigenschaft	Eigenschaften	4
	Köpfe	
das Ereignis		
	Lieder	
die Freundin		
	Brüder	
der Partner		
	Stellen	
das Team		
	Ergebnisse	
das Paar		
	Sofas	
die Untersuchung		
	Scheidungen	
die Gewohnheit		
	Münder	
die Beziehung		
	Freiheiten	
das Jahrhundert		
	Chancen	
der Kampf		

zu Seite 69, 8

_4_ Pluraltypen → GRAMMATIK

Setzen Sie die folgenden Nomen in die richtige Spalte unten ein.

die Schachtel – der Kenner – das Lokal – das Einkaufszentrum – das Werk – die Fabrik – die Halle – die Galerie – das Viertel – der Ort – der Club – der Block – das Dach – der Fluss – der Turm – die Aggression – das Blatt – die Bibliothek – der Emigrant – das Leiden – das Recht – die Prüfung – die Schwäche – die Vorliebe – der Versuch – das Kleid – die Nacht – das Rad – das Radio – der Koffer – der Schmerz – das Dorf – die Mannschaft – der Traum – der Gott – das Zeichen – der Hafen – das Detail – das Mittel – der Staat – der Blick – die Angst – der Nerv – das Bild – die Schulter – der Artikel

- oder ¨	-e oder ¨e	-er oder ¨er	-en oder -n	-s
die Kenner	die Lokale	die Dächer	die Schachteln	die Clubs

zu Seite 71, 4

_5_ Fugenelement: ja oder nein? → GRAMMATIK/WORTSCHATZ

Kombinieren Sie folgende Verbstämme, Adjektive und Nomen zu mindestens zehn zusammengesetzten Nomen. Fügen Sie den Artikel hinzu.

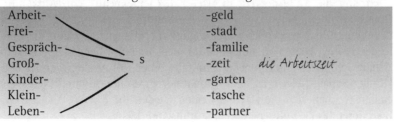

Arbeit-   -geld
Frei-   -stadt
Gespräch-   -familie
Groß-   -s   -zeit   *die Arbeitszeit*
Kinder-   -garten
Klein-   -tasche
Leben-   -partner

LEKTION 4

zu Seite 72, 1

__6__ Biographien → **LESEN/WORTSCHATZ**

Setzen Sie die Nomen in den Text ein. Welche Nummer im Text entspricht welchem Nomen?

ⓐ Der Schriftsteller Arthur Schnitzler

☐ Gelegenheit	☑ Laufbahn	☐ Kreis	☐ Assistent
☐ Besuch	☐ Fachartikel		☐ Freundschaften
☐ Privatpraxis	☐ Heimatstadt		☐ Ambitionen

ARTHUR SCHNITZLER wird am 15. Mai 1862 als zweiter Sohn des Arztes Professor Johann Schnitzler in Wien geboren. Die ärztliche (1) ist ihm (wie auch seinem Bruder) vorgezeichnet. Nach dem (2) des Akademischen Gymnasiums (1871 bis 1879) studiert Arthur Schnitzler Medizin an der Universität Wien und promoviert 1885. Bis 1888 arbeitet er als Sekundararzt am Allgemeinen Krankenhaus, anschließend bis 1893 als (3) seines Vaters an der Allgemeinen Wiener Poliklinik. Von 1887 bis 1894 ist er zudem Redakteur der „Internationalen Klinischen Rundschau" und verfasst eine Anzahl medizinischer (4). Nach dem Tod seines Vaters im Jahre 1893 eröffnet Schnitzler eine (5). Nun kann er seinen schriftstellerischen (6) mehr Zeit widmen. Er hat früh begonnen sich literarisch zu betätigen. 1890 findet er Anschluss an den literarischen (7) im Café Griensteidl, aus dem sich (8) der verschiedensten Art entwickelten. Mit dem Stück „Das Märchen" gelingt es ihm im Jahr 1893 zum ersten Mal ein Werk auf eine Bühne seiner (9) Wien zu bringen. Bei dieser (10) lernt er die Schauspielerin Adele Sandrock kennen.

ⓑ Die Schauspielerin Adele Sandrock

☐ Liebhaber	☐ Familie	☐ Fremdsprache	☐ Beziehung
☐ Schauspielerin	☐ Möglichkeit	☐ Hoftheater	☐ Wege
☐ Dokument	☐ Ausbildung	☐ Engagement	☐ Durchbruch

ADELE SANDROCK wird am 19. August 1863 als Tochter eines deutschen Offiziers und einer bekannten holländischen (1) geboren. Sie wächst in Holland auf. Als ihre (2) nach Berlin übersiedelt, muss sie Deutsch als (3) erlernen. Adele wird Schauspielerin ebenso wie ihre Schwester Wilhelmine. Die (4) der Töchter übernimmt die Mutter selbst. An deren Seite debütiert die fünfzehnjährige Adele 1878 an einer Berliner Vorstadtbühne. Danach wird sie für zwei Jahre an das berühmte (5) in Meiningen verpflichtet. Der große (6) findet 1889 in Wien statt. Adele hatte seit längerer Zeit kein (7) gefunden. Nun ergibt sich die (8), kurzfristig die Rolle der Iza in „Der Fall Clemenceau" von Alexandre Dumas zu übernehmen. Seitdem ist die Sandrock berühmt. Sie wird an das Wiener Deutsche Volkstheater engagiert. 1893 spielt sie dort die Rolle der Fanny Theren in einem Stück des jungen Wiener Dramatikers Arthur Schnitzler und findet in Schnitzler einen (9): Aus der beruflichen (10) der Schauspielerin zu dem Dramatiker wird eine private. Nach zwei Jahren trennen sich die (11) der beiden wieder. Ihr Briefwechsel ist ein faszinierendes (12) dieser kurzen, stürmischen Liebe.

zu Seite 72, 3

__7__ **Textrekonstruktion** *Halb zwei* → **HÖREN/LESEN**
Bringen Sie die folgenden Textstücke in die richtige Reihenfolge, so
dass sich eine Inhaltsangabe der literarischen Szene *Halb zwei* ergibt.
Erklären Sie, inwiefern die unterstrichenen Wörter Ihnen bei
der Rekonstruktion des Textes geholfen haben.

1	2	3	4	5	6	7
C						

A Es ist bereits halb zwei Uhr nachts, <u>der Mann</u> ist müde. Er möchte nach Hause gehen, weil er am nächsten Tag wieder arbeiten muss.

B Er versucht ihr zu erklären, dass er <u>um acht Uhr aufstehen</u> muss und dass ihm bis dahin sowieso nur noch sehr wenige Stunden Schlaf bleiben.

C <u>Ein Mann</u> besucht seine Geliebte in ihrer Wohnung. Die beiden haben offenbar schon seit einiger Zeit ein intimes Verhältnis.

D <u>Nachdem</u> er ihr versichert hat, dass er sie sehr liebt, schafft er es <u>endlich</u>, sich von ihr loszureißen.

E Als er fertig angezogen ist und sich von ihr verabschiedet, versöhnen die beiden sich <u>wieder</u>.

F Sie zeigt überhaupt kein Verständnis <u>für seine Begründung</u> und provoziert einen regelrechten Streit. Darin bezeichnet sie ihn als falsch, brutal und als Egoist.

G Die beiden verabreden sich für den nächsten Abend um sechs Uhr wieder in ihrer Wohnung. Er verlässt <u>schließlich</u> das Haus und nimmt sich vor, morgen Abend früher nach Hause zu gehen.

zu Seite 72, 4

__8__ **Artikel: Numerus und Genus** → **GRAMMATIK**
Ergänzen Sie im folgenden Text die Artikelwörter.

Partnerschaft: Eine unendliche Geschichte

Jahrhundertelang war ...*die*... Ehe in westlichen Gesellschaften .... einzige legalisierte
intime Beziehung zwischen Mann und Frau und kaum mehr als .... Reproduktions-
gemeinschaft. Im Mittelpunkt standen .... gemeinsamen Kinder. Liebesheiraten waren
eher selten. Mit .... Entstehung der bürgerlichen Gesellschaft im 19. Jahrhundert
veränderte sich die Bedeutung von Liebe und Ehe radikal. .... Liebesheirat wird zum
Fundament .... bürgerlichen Familienidylls: Der Mann arbeitet außer Haus und die Frau
widmet sich der Kindererziehung und .... Haushalt. Diese klassische Arbeitsteilung in
.... Ehe hat sich bis in die Sechzigerjahre .... Jahrhunderts gehalten.

Doch dann pfiff .... Männern ein ganz neuer Wind um die Ohren. Die Frauenbewegung
.... frühen Siebzigerjahre brachte traditionelle Rollenmuster ins Wanken. .... eheliche
Schlafzimmer wurde Schauplatz .... Geschlechterkampfes. Die Folge: Steigende
Scheidungsraten. Viele Frauen nutzen .... Chance, ihr Leben neu zu planen. Ausbildung
und Beruf sind seitdem nicht mehr nur eine Übergangsphase vor der Ehe, sondern ermöglichen .... Frau Unabhängigkeit vom Mann.

Dennoch wollen .... wenigsten heute auf Partnerschaft und Liebe verzichten. Freilich
unter anderen Vorzeichen. Die Ehe ist kein Muss mehr. Zahlreiche Paare ziehen es vor, ohne
Trauschein zusammenzuleben. .... freie und bewusste Wahl des Partners/der Part-
nerin ist der Beginn .... modernen Beziehung.

das
der
dem
den
des
die
diese
dieses
eine
einer

LEKTION 4

zu Seite 73, 1

9 Die richtige Reihenfolge? → **WORTSCHATZ**
Nummerieren Sie: Wie ist die „normale" Reihenfolge?

Sie heiraten. ....
Sie verlieben sich. ....
Sie erwarten ein Kind. ....
Sie haben ein Baby. ....
Sie lernen jemanden kennen. ....1.............
Sie verloben sich. ....

zu Seite 73, 2

10 Nomen, Verb, Partizip → **WORTSCHATZ/GRAMMATIK**
Ergänzen Sie die fehlenden Wörter.

Artikel	Nomen	Verb	Partizip
die	Heirat	heiraten	verheiratet sein
		sich verloben	
		sich scheiden lassen	
			verzichtet haben
die	(gute) Ausbildung		
		entstehen	
			(gut) erzogen sein

zu Seite 73, 3

11 Verliebt, verlobt, verheiratet → **WORTSCHATZ**
Bilden Sie zusammengesetzte Nomen und fügen Sie den Artikel hinzu.
Achten Sie auf das Fugenelement -s!

< Braut-   Trau-   Hochzeits-   Ehe-   Verlobungs-   Heirats-

............die Heirats....-anzeige   ....-feier   ....-kleid
..........................-mutter   ....-scheidung   ....-urkunde
..........................-berater   ....-foto   ....-kutsche
..........................-brecher   ....-frau   ....-mann
..........................-ring   ....-torte   ....-zeuge

zu Seite 73, 3

12 Bilderrätsel → **WORTSCHATZ**
Finden Sie zu jedem Bild mindestens ein zusammengesetztes Nomen.
Beispiele: *B1 + C5 = der Fingernagel/A3 + C1 = das Königsschloss*

LEKTION 4

zu Seite 73, 3

13 Wortbildung: Farbenspiel → **WORTSCHATZ**

Wer findet die meisten „sinnvollen" Kombinationen aus jeweils
einer Farbe und einem Nomen?

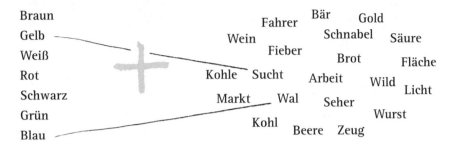

Braun
Gelb
Weiß
Rot
Schwarz
Grün
Blau

Fahrer   Bär   Gold
Wein   Schnabel   Säure
Fieber   Brot   Fläche
Kohle   Sucht   Arbeit   Wild   Licht
Markt   Wal   Seher
Kohl   Wurst
Beere   Zeug

zu Seite 73, 3

14 Worterklärungen → **WORTSCHATZ**

a Erklären Sie jetzt bitte schriftlich die Bedeutung von fünf Wörtern,
die Sie in Übung 13 gebildet haben.

Beispiel: *Gelbsucht = eine Krankheit, bei der sich die Haut gelb färbt*

b Lesen Sie Ihre Definitionen in der Klasse vor und lassen Sie die
anderen erraten, welcher Begriff gemeint ist.

zu Seite 73, 3

15 Bedeutung zusammengesetzter Nomen → **WORTSCHATZ**

Ergänzen Sie die Lücken.

Nomen	Bedeutung
das Selbstvertrauen	das Vertrauen in sich selbst
die Beziehungsprobleme	
	der Kontakt mit Blicken
die Kopfbewegung	
	die Heirat aus Liebe

zu Seite 73, 3

16 Synonyme → **WORTSCHATZ**

Finden Sie eine einfachere Ausdrucksweise. Verwenden Sie die
folgenden Verben. Manchmal sind mehrere Lösungen möglich.

lieben – mögen – gern haben – gern mögen

a Hans hängt sehr an seiner Mutter.
b Ich schätze Herrn Müller als Kollegen wirklich sehr.
c Herr Meyer hat den kleinen Tim richtig ins Herz geschlossen.
d Für diese Art von Musik habe ich überhaupt nichts übrig.
e Welchen von deinen Lehrern kannst du am besten leiden?

zu Seite 73, 4

17 Welches Wort passt nicht? → **WORTSCHATZ**

Beziehungen	Lebenspartner	Familienfeste	die Braut trägt
Freund	Gattin	Verlobung	Brautschuhe
Kamerad	Kollegin	Ostern	Brautkleid
Genosse	Ehefrau	Hochzeit	Brautstrauß
Vetter	Lebensgefährtin	Taufe	Brautpaar

LEKTION 4

Familienstand	zur Heirat gehören	Hochzeitsgeschenke	eine Ehe wird
verliebt	Braut	Toaster	versprochen
geschieden	Standesbeamter	Geschirr	geschlossen
verwitwet	Trauzeuge	Kaffeemaschine	gekündigt
verheiratet	Richter	Brille	gebrochen
ledig	Bräutigam	Handtücher	geschieden

zu Seite 74, 4

18   Leserbrief – Textsortenmerkmale → SCHREIBEN
Welche Formulierungen sind für einen Leserbrief passend?
Bitte kreuzen Sie jeweils eine der drei Möglichkeiten an.

Datum
- ☐ *17/03/19..*
- ☐ *Frankfurt, 17. 03. 19..*
- ☐ *im März 19..*

Betreff
- ☐ *Umfrage zum Thema „Kosenamen"*
- ☐ *Ihr Schreiben vom ...*
- ☐ *Ihr Artikel in ...*

Anrede
- ☐ *Liebe Redakteure,*
- ☐ *Sehr geehrte Journalisten,*
- ☐ *Sehr geehrte Damen und Herren,*

Anredeform
- ☐ *du*
- ☐ *Ihr*
- ☐ *Sie*

Gruß
- ☐ *Alles Liebe*
- ☐ *Hochachtungsvoll*
- ☐ *Mit freundlichen Grüßen*

zu Seite 75, 2

19   Vermutungen → WORTSCHATZ/GRAMMATIK
Schauen Sie das Bild im Kursbuch auf Seite 75 an. Ergänzen Sie die
fehlenden Wörter, mit denen man Vermutungen zum Ausdruck bringt.

scheinen – scheint – könnte – vielleicht – vermutlich – wahrscheinlich

Auf dem großen Bild sieht man einen Mann mit Badehose. Er hebt eine Frau hoch, die ein
weißes Hochzeitskleid trägt. Beide _____ glücklich zu sein. _____ ist
das Foto anlässlich einer Hochzeitsfeier aufgenommen worden. Es _____ Nach-
mittag zu sein, die Trauung ist _____ bereits vorbei. Die Szene spielt sich
_____ im Zusammenhang mit der Hochzeitsfeier ab. Auf dem Bild ist ein
Bootssteg und Wasser zu sehen, _____ handelt es sich um einen See oder die Auf-
nahme wurde am Meer gemacht. Jedenfalls _____ das Wetter sehr gut zu sein.
_____ ist es recht warm, da der Mann in der Badehose nicht zu frieren _____ .
Bei den beiden Personen handelt es sich _____ um das Brautpaar. Warum der
Mann seinen Anzug ausgezogen hat, ist nicht klar. Es _____ sein, dass er
seine Braut überraschen wollte. _____ will er mit ihr schwimmen gehen
oder eine Bootsfahrt unternehmen.

LEKTION 4

zu Seite 76, 1

20 Bericht von einer Verlobung bzw. Hochzeit → SCHREIBEN

Sie waren auf einer Verlobung oder Hochzeit eingeladen und berichten jetzt Ihrem deutschen Brieffreund/Ihrer deutschen Brieffreundin davon.
Erzählen Sie,

- was Braut und Bräutigam anhatten, wie sie aussahen.
- welche Personen bei der Trauung dabei waren.
- wo die Trauung stattfand.
- was an dem Fest nach der Zeremonie besonders schön war.
- was für Geschenke das Brautpaar bekommen hat.
- ...

zu Seite 76, 1

21 Gratulation → WORTSCHATZ

Ein frisch verheiratetes Paar hat Post bekommen.
Welche Grüße passen nicht zum Anlass?

- ☐ Dem Brautpaar alles Gute.
- ☐ Herzlichen Glückwunsch zur Verlobung.
- ☐ Zur Hochzeit die besten Wünsche.
- ☐ Mit den besten Wünschen zum Jubiläum.
- ☐ Wir gratulieren zur Hochzeit.
- ☐ Alles Gute für den gemeinsamen Lebensweg.

zu Seite 76, 3

22 Lückentext → WORTSCHATZ

Lesen Sie die Transkription einer Passage aus dem Hörtext zu Kursbuch Seite 76. Setzen Sie die folgenden Nomen in den Text ein. Zwei Nomen können Sie zweimal einsetzen.

(die) Familie – (die) Kleinstadt – (das) Lebensmuster – (der) Lebensstil, -e – (die) Partnerschaften – (die) Rücksicht – (das) Singledasein – (die) Studienkollegen – (die) Wohngemeinschaften

Ja, als ich jung war, mit 16 oder 18 Jahren, da habe ich mir natürlich auch vorgestellt, dass ich einmal heiraten werde und eine ...*Familie*... gründen werde. Und ich glaube heute, ich habe mich einfach orientiert an dem .... meiner Eltern, der Lehrer, und eigentlich aller Leute in der .... , aus der ich komme. Und ich bin dann nach Berlin gegangen, habe dort studiert. Dort habe ich alleine gelebt, ich hatte .... , Beziehungen, ich habe in .... gelebt. Und eigentlich haben meine ganzen Freunde und Bekannten, meine .... auch in Partnerschaften gelebt, oder allein, oder in .... Also ich habe gelernt, dass es doch sehr viele .... gibt. Und dass man auf sehr unterschiedliche Weise glücklich sein kann. Im Laufe der Zeit habe ich eigentlich immer mehr Vorzüge entdeckt beim .... Man ist einfach unabhängiger, man kann sein Leben frei gestalten. Man muss keine .... nehmen, ich kann viel reisen zum Beispiel. Und deswegen ist das schon so, dass ich mich jetzt immer bewusster zu diesem .... bekenne.

zu Seite 78, 2

23 Idiomatik → WORTSCHATZ

Finden Sie die richtige Erklärung.

Jemand geht mir auf die Nerven.

- ☐ Er kitzelt mich.
- ☐ Er ärgert mich.
- ☐ Er macht mir Sorgen.

Er tanzt dauernd nach ihrer Pfeife.

- ☐ Er tanzt besonders gern mit ihr.
- ☐ Er tanzt schlecht.
- ☐ Er macht alles, was sie will.

Du siehst alles durch eine rosarote Brille.

☐ Du hast schlechte Augen.
☐ Du siehst alles positiv.
☐ Du hast dir eine neue Brille gekauft.

Du möchtest immer den Ton angeben.
Du möchtest

☐ besonders gut aussehen.
☐ die Entscheidungen treffen.
☐ Musikunterricht nehmen.

Du möchtest nicht die zweite Geige spielen.
Du möchtest

☐ bei einem Wettbewerb nicht Zweiter werden.
☐ in einem Streit nicht nachgeben.
☐ nicht im Hintergrund stehen.

Du bist bereit, Opfer auf dich zu nehmen.
Du bist bereit,

☐ etwas aufzugeben.
☐ Geld zu spenden.
☐ Schwierigkeiten zu akzeptieren.

Du setzt deine Beziehung aufs Spiel.

☐ Du riskierst den Verlust des Partners.
☐ Es ist dir egal, was dein Partner macht.
☐ Du beendest deine Beziehung.

Ich habe die Sache aus den Augen verloren.

☐ Ich bin darüber nicht mehr informiert.
☐ Ich habe die Lust an der Sache verloren.
☐ Ich habe nie etwas über die Sache gewusst.

Du kannst mir den Buckel runterrutschen.

☐ Du könntest etwas gegen meine Rücken-
  schmerzen tun.
☐ Es ist mir egal, was du machst.
☐ Ich sehe große Probleme vor mir.

zu Seite 78, 5

24 Wortbildung: Derivation → **GRAMMATIK**

a Nomen aus Verben ableiten. Finden Sie die passenden Nomen.

Verb	Nomen auf -e, -t; aus dem Infinitiv oder Wortstamm
ankommen	*die Ankunft*
ärgern	*der Ärger*
fahren	
fürchten	
liegen	
schreiben	
sprechen	
streiten	

Verb	Nomen auf -ung, oder -schaft
abwechseln	*die Abwechslung*
bedrohen	
befreundet sein	
bereit sein	
beziehen	
entfalten	
entscheiden	
enttäuschen	
erfahren	
meinen	
trennen	
unternehmen	

Verb	Nomen auf -tum oder -nis
sich irren	*der Irrtum*
erleben	
hindern	
gefangen sein	
wachsen	

Verb	Nomen auf -er, -ler, -ei oder -el
backen	*die Bäckerei*
drucken	
heucheln	
lehren	
verkaufen	
schließen	
wecken	

LEKTION 4

b) Nomen aus Adjektiven ableiten. Ergänzen Sie die Nomen.

Adjektiv	Nomen auf *-heit, -keit* oder *-igkeit*
dankbar	*die Dankbarkeit*
eitel	
frei	
gerecht	
herzlos	
schön	
selten	
unabhängig	
wahr	

zu Seite 78, 5

25   Nominalisierungen → **WORTSCHATZ/GRAMMATIK**

a) Bilden Sie aus Verben Nomen, die in die Sätze passen.

Verb	Beispielsatz
erinnern	Evas Hochzeitsfest ist mir in guter *Erinnerung* .
ergeben	.... der Untersuchung ist noch nicht da.
reagieren	Ich fand .... des Mannes besonders interessant.
erfahren	Ich habe mit Hochzeiten wenig ....
bestellen	Ich habe meine .... schon gestern abgeschickt.
forschen	Ich finde .... über das Verhalten der Menschen interessant.
verbinden	Ich konnte nicht telefonieren. .... war unterbrochen.
begleiten	Sie geht nur noch in .... ihres Mannes aus dem Haus.
bilden	Ich finde, ... ist eines der wichtigsten Dinge im Leben.
konkurrieren	Bei Wettbewerben muß man mit starker .... rechnen.
analysieren	Wir warten noch auf Ihre .... des Fußballspiels.

b) Bilden Sie aus den Adjektiven Nomen, die in die Sätze passen.

Adjektiv	Beispielsatz
aktiv	Ihre *Aktivität* ist bewundernswert.
faul	Er hat den Kurs geschafft, trotz seiner bodenlosen ....
geheim	Ihr Schönheitsrezept ist ein ....
arrogant	Seine .... ist kaum auszuhalten.
ehrlich	Seine absolute .... hat ihm schon oft geschadet.
sparsam	.... wurde früher von jeder guten Hausfrau erwartet.
sauber	Das galt auch für die ....
flexibel	In diesem Beruf brauchen Sie absolute ....
sensibel	Es fehlt ihm manchmal wirklich an ....
kritisch	Seine .... konnte ich schwer ertragen.
offen	Zu viel .... im Gespräch macht mich unsicher.
unabhängig	Ich brauche meine ....

zu Seite 78, 5

__26__ Lückentext: Nomen → LESEN/GRAMMATIK
Füllen Sie die Lücken im folgenden Zeitungsartikel
mit Nomen, die Sie aus den Verben oder Adjektiven
in der rechten Spalte ableiten.

Die Liebe – nichts als reiner Zufall

Die Liebe macht den Wissenschaftlern schwer zu schaffen. Kaum hat sich bei Forschern an den Universitäten die ....*Meinung*............ durchgesetzt „Gleich und Gleich gesellt sich gern", da müssen die Lehrbücher wohl wieder neu geschrieben werden. Schuld daran sind die neuesten .... des amerikanischen Psychologen David Lykken. In einer groß angelegten Studie hat der .... herausgefunden, dass die Liebe ein Produkt des .... ist.

Für seine .... hatte Lykken Zwillinge gewählt. Sie sind zur gleichen Zeit und meist in derselben .... aufgewachsen. Eineiige Zwillinge haben das gleiche Erbgut. Immer wieder haben .... gezeigt, wie sehr sie einander nicht nur äußerlich gleichen. Wenn es Regeln gibt, und seien sie noch so kompliziert, dann müssten sich Zwillingsbrüder jeweils für Frauen entscheiden, die wenigstens ein paar .... haben. Doch trotz umfangreicher .... fand der Wissenschaftler solche gemeinsamen Punkte nicht. Die Partner und Partnerinnen eines Zwillingspaares wiesen kaum mehr .... auf, als der Computer für rein zufällig kombinierte Paare errechnete.

Dasselbe .... zeigte sich auch ohne Computerstatistik: Die Wissenschaftler fragten jeden Zwilling, wie er die Auserwählte seines Bruders fand, als er sie zum ersten Mal sah. Hätte er sich vielleicht selbst in sie verlieben können? Keineswegs. Fast jeder Zweite fand sie nicht einmal sympathisch. Wenn es dagegen um ...., Möbel oder Ferienziele ging, hatten sie fast den gleichen .... Weiblichen Zwillingen erging es mit den Männern der Schwestern nicht anders.

Diese Befunde sind ein schwerer .... für viele Theoretiker der Liebe. Er trifft auch Psychoanalytiker, die überzeugt sind, die .... der Eltern bestimme die Partnerwahl der Kinder. Denn Lykken kommt zu dem ....: Menschen verlieben sich „beinahe zufällig ineinander".

meinen

ergeben
forschen
zufällig

untersuchen
umgeben
versuchen

gemeinsam
testen

ähnlich

resultieren

sich kleiden
schmecken

schlagen
persönlich
schließen

zu Seite 78, 5

__27__ Yasemin → LESEN
Lesen Sie die Inhaltsangabe und lösen Sie die folgenden Aufgaben.

Bei diesem Film handelt
es sich um

☐ einen Dokumentarfilm.
☐ einen Krimi.
☐ eine Komödie.
☐ einen Liebesfilm.

In dem Film geht es um

☐ einen politischen Konflikt.
☐ einen Konflikt zwischen
   zwei Kulturen.
☐ einen wirtschaftlichen
   Konflikt.
☐ eine sportliche
   Auseinandersetzung.

Der Film spricht
wahrscheinlich hauptsächlich

☐ ältere Menschen an.
☐ jüngere Menschen an.
☐ Männer an.
☐ Frauen an.

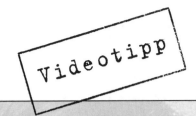

YASEMIN

DEUTSCHLAND 1987/88

***REGIE* HARK BOHM**

Jan hat sich in Yasemin verliebt. Eigentlich nichts Besonderes. Doch schnell gibt es riesige, scheinbar unlösbare Probleme für die beiden, denn Yasemin ist Türkin. Ihr Vater wacht eifersüchtig über die bedrohte Ehre seiner Tochter und macht ihr das Leben zur Hölle ...

Yasemin ist die 17-jährige Tochter eines türkischen Gemüsehändlers in Hamburg-Altona. Jan ist Judo-Fan und Student. Die Annäherungsversuche des jungen Mannes wehrt Yasemin zunächst ab, weil sie vermutet, dass Jan sie lediglich einer Wette wegen erobern will. Aus dem anfänglichen Spiel entwickelt sich aber schnell eine ernsthafte Beziehung. Und Yasemin bekommt plötzlich zu spüren, was ihr früher völlig nebensächlich war: Sie ist Türkin. Ihr liebevoller Vater verwandelt sich in einen Despoten, der eifersüchtig über die Ehre seiner Tochter wacht. Die Männer der Familie fassen einen Plan: Yasemin soll in die Türkei geschafft werden, denn nur da ist sie vor dem Deutschen sicher. Als Jan von den Absichten ihres Vaters erfährt, beschließt er, Yasemin vor ihrem Schicksal zu bewahren. Gemeinsam flüchten sie mit Jans Motorrad.

Der Film nimmt die Perspektive der türkischen Familie ein und zeigt differenziert die Generationskonflikte und Anpassungsprozesse. Mit den Mitteln des Unterhaltungskinos, die auch einem jungen Publikum den Zugang zum Thema ermöglichen, wird unaufdringlich für ein neues Verständnis zwischen Deutschen und Türken, besonders den Türken in der zweiten und dritten Generation, geworben.

1 Lange und kurze Vokale

a Lesen Sie die folgenden Sätze. Achten Sie auf die unterstrichenen Wörter. Welche Wörter sprechen Sie kurz, welche lang?

- Herr <u>Hoffmann</u> wohnte in einem schönen alten Gebäude.
- Hinter dem Haus lag ein großer <u>Hof</u>.
- Diesen benutzten einige Hausbewohner als eine Art <u>Schrott</u>platz.
- Einer lagerte dort ein altes, kaputtes Schlauch<u>boot</u>.
- Ein anderer <u>deponierte</u> dort einen ausrangierten <u>Brot</u>kasten.
- Herrn Hoffmann störte die Unordnung. Er sagte: „Die ist doch nicht <u>not</u>wendig, oder?"

b Suchen Sie nach Regeln für die Schreibweise von langen und kurzen Vokalen.

2 Kurz oder lang?

a Hören Sie die folgenden Wörter und markieren Sie die langen Vokale.
b Lesen Sie die Wörter danach laut.

höhere L<u>öh</u>ne	müde Söhne
höfliche Österreicher	kühle Flüsse
zwölf Brüder	mühsame Überstunden
größere Dörfer	Sündenböcke
fröhliche Töchter	berühmte Künstler
	fünf Übungen
	Frühstücksbrötchen

3 Betonte Vokale

Lesen Sie die Beispiele laut.

kurz		lang	
a	die Tante, der Mann	a	der Vater, die Zahl, der Saal
e	der Vetter, der Pelz	ä	die Väter, zählen, Säle
i	die Nichte, die Bitte		
o	der Onkel, das Opfer		
u	die Mutter, die Suppe		
ö	Töchter, öfter		
ü	Mütter, müssen		
		e	das Leben, die Idee, der Lehrer
		i	die Liebe, die Margarine, bieten
		o	das Wohl, der Hof
		u	die Schule, der Bruder, der Stuhl
		ö	die Söhne, die Öfen
		ü	die Mühle, Brüder

 4

Sortieren

Hören Sie die Wörter und sortieren Sie nach kurzen
und langen Vokalen.

Ball – Banane – begrüßen – bitten – Boot – dunkel – erzählen – Fall
– geben – Höhle – Hölle – ihre – kam – Kasse – Kuh – Kuchen – kühl –
küssen – lachen – lassen – Leben – Licht – Lupe – Melone – Messer –
Müller – Mütze – nahm – nehmen – niesen – Ofen – Öl – Paar – Puppe
– riechen – rot – Rübe – Saal – Schale – See – sie – siegen – singen –
Sitz – Sohn – Sonne – Stadt – Straße – Suppe – Tomate – Wasser –
Wiese – wissen – wüsste – Zitrone – Zucker

a Lange Vokale

a	e	i	o	u	ö	ü
Banane	Leben	riechen	Boot	Lupe	Öl	Rübe

b Kurze Vokale

a	e	i	o	u	ö	ü
Stadt	begrüßen	bitten	Sonne	Zucker	Hölle	Müller

 5

Minimalpaare

Hören Sie und sprechen Sie nach.

a		u		i		o	
lang	**kurz**	**lang**	**kurz**	**lang**	**kurz**	**lang**	**kurz**
Staat	Stadt	Kuchen	Kunde	bieten	bitten	Ofen	offen
Saat	satt	Kugel	Kupfer	ihn	in	Hofe	hoffe
lasen	lassen	Puder	Puppe	Stil	still	Sohne	Sonne
Wahn	wann	Pudel	Putte	Lied	litt	wohne	Wonne
Hase	hasse	Muse	Mutter	Wiese	wissen	Pose	Posse

LEKTION 4

Lernkontrolle: Was haben Sie in diesem Kapitel gelernt?
Kreuzen Sie an.

Rubrik	Handlungen	gut	besser als vorher	möchte ich noch vertiefen
Lesen	■ Anhaltspunkte über den Inhalt eines Textes aus Überschriften und Illustrationen entnehmen	☐	☐	☐
	■ Hauptaussagen einer *Reportage* entnehmen	☐	☐	☐
	■ mit Hilfe von Konnektoren einen zerstückelten Text wieder richtig zusammensetzen	☐	☐	☐
	■ die Textsorte *Psychotest* bearbeiten	☐	☐	☐
	■ einer Testauswertung Informationen und Aussagen entnehmen	☐	☐	☐
Hören	■ die Textsorte *literarische Szene* bearbeiten	☐	☐	☐
	■ Gehörtes interpretieren	☐	☐	☐
	■ Vermutungen über Motive und Gründe anstellen	☐	☐	☐
Schreiben	■ ein Foto beschreiben	☐	☐	☐
	■ Vermutungen formulieren	☐	☐	☐
	■ Erlebnisse anhand einer Bildgeschichte erzählen	☐	☐	☐
	■ einen Leserbrief formulieren	☐	☐	☐
Sprechen	■ eine Bildgeschichte erzählen	☐	☐	☐
	■ ein Foto beschreiben	☐	☐	☐
Wortschatz	■ Wörter zum Thema „Liebe, Partnerschaft und Hochzeit"	☐	☐	☐
Grammatik	■ Pluraltypen	☐	☐	☐
	■ Nomen aus anderen Wortarten bilden	☐	☐	☐
	■ Ausdrücke mit Nomen verwenden	☐	☐	☐
Lerntechnik	■ richtiger Umgang mit dem Wörterbuch	☐	☐	☐

Sprechen Sie mit Ihrer Kursleiterin/Ihrem Kursleiter über das Ergebnis.
Sie/Er wird Ihnen Tipps zum Weiterlernen geben.

LEKTION 5 – *Lernwortschatz*

Verben

anstreben

beraten

(sich) einsetzen für + *Akk.*

fordern

erreichen

etwas raten + *Dat.*

leisten

schaffen

sich beschäftigen mit + *Dat.*

sich bewerben um + *Akk.*/
  bei + *Dat.*

sich erkundigen bei/nach + *Dat.*

sich vorstellen

tätig sein

unterstützen

verbinden mit + *Dat.*

verhandeln

verlangen

verteidigen

zu tun haben mit + *Dat.*

Nomen

die Abteilung, -en

die Angabe, -n

die Anrede, -n

die Anlage, -n

der/die Angestellte, -n

der Arbeitgeber, -

der Arbeitnehmer, -

der Aufstieg, -e

die Ausbildung, -en

der/die Auszubildende, -n

die Beförderung, -en

das Berufsleben, -

der Bereich, -e

der Bewerber, –

die Bewerberin, –nen

die Bewerbung, -en

die Einarbeitung

die Einrichtung, -en

der Empfänger, -

das Fachgebiet, -e

die Fähigkeit, -en

das Gehalt, ¨-er

der Nebenjob, -s

die Schreibkraft, ¨-e

der/die Selbständige, -n

die Stelle, -n

das Stellenangebot, -e

die Tätigkeit, -en

der Umgang

der Verdienst

der Vertreter, –

die Vertreterin, –nen

die Voraussetzung, -en

das Vorstellungsgespräch, -e

Adjektive/Adverbien

ehemalig

karriereorientiert

krisensicher

kontaktfreudig

kürzlich

piekfein

selbstbewusst

souverän

tabellarisch

üblich (un-)

verantwortungsvoll

verkehrs(un)günstig

vorteilhaft (un-)

zufriedenstellend

zuverlässig (un-)

Konnektoren und Präpositionen

also

aufgrund + *Gen.*

daher

deswegen

falls

folglich

im Falle + *Gen.*

im Falle, dass

infolge + *Gen.*

infolgedessen

nämlich

sonst

wegen + *Gen.*

Ausdrücke

auf eigene Rechnung arbeiten

Berufserfahrung sammeln

ein Formular ausfüllen

ein Gespräch einleiten/beenden/
  entgegennehmen

einen Beruf (eine Tätigkeit)
  ausüben

einen Brief verfassen

einen Termin ausmachen

einen Vertrag abschließen

etwas auf den neuesten
  Stand bringen

Fähigkeiten/Kenntnisse erwerben

im Hotel ein- und auschecken

ins Schwitzen kommen

seinen Lebensunterhalt verdienen

sich Fähigkeiten (Kenntnisse)
  aneignen

um Auskunft bitten

Voraussetzungen mitbringen

5

LEKTION 5

zu Seite 86, 5

1   Kausale und konsekutive Satzverbindungen → GRAMMATIK

ⓐ Sätze bilden
Verbinden Sie folgende Sätze mit Hilfe der Konnektoren und
Präpositionen in Klammern.

1. Kathrin Schmoll will beruflich weiterkommen. Sie besucht einen
   Fortbildungslehrgang. (*deshalb, denn, nämlich, weil, da, wegen*)

2. Otto Grimm möchte die Berufspraxis kennen lernen. Er macht eine
   Ausbildung als Bankkaufmann. (*nämlich, aus diesem Grund, da*)

3. Die Firma Zimmer sucht Auszubildende. Sie inseriert in der Zeitung.
   (*darum, infolgedessen, weil*)

4. Clara Feuerbach zahlt eine hohe Miete. Sie braucht ein gutes
   Einkommen. (*nämlich, weil, deswegen*)

5. In großen Betrieben gibt es zur Zeit zahlreiche Entlassungen. Die
   Arbeitslosenzahl steigt stark an. (*deshalb, so dass, infolge, aufgrund*)

ⓑ Satzbaupläne ergänzen
Ergänzen Sie die Sätze aus Übung 1 in der Übersicht.

Hauptsatz	Konnektor	Position 1	Position 2	Position 3,4	Endposition
Kathrin Schmoll will beruflich weiterkommen.		<u>*Deshalb*</u>	*besucht*	*sie einen Lehrgang.*	
Kathrin Schmoll besucht einen Lehrgang,	<u>*denn*</u>	*sie*	*will*	*beruflich*	*weiterkommen.*
Kathrin Schmoll besucht einen Lehrgang,		*sie*	*will*	<u>*nämlich*</u> *beruflich*	*weiterkommen.*
Sie besucht einen Lehrgang,	<u>*weil*</u>	*sie*	*beruflich weiter- kommen*		*will.*

Position 1	Position 2	Position 3, 4 ...
<u>*Da*</u> *(<u>weil</u>) K. Schmoll beruflich weiterkommen will,*	*besucht*	*sie einen Lehrgang.*
<u>*Wegen*</u> *(<u>Aufgrund</u>) ihrer beruflichen Pläne*	*besucht*	*sie einen Lehrgang.*

zu Seite 86, 5

2   Warum Bewerber scheitern → LESEN/GRAMMATIK

ⓐ Gründe zuordnen
Bewerber um eine neue Stelle können aus verschiedenen Gründen
scheitern. Stellen Sie Vermutungen über die Häufigkeit der Gründe an
und ordnen Sie die Gründe A bis J den Prozentzahlen im Schaubild zu.

Ⓐ zu alt   **Ⓕ** zu hohe Einkommensforderungen
Ⓑ zu wenig Berufserfahrung   **Ⓖ** gesundheitlich beeinträchtigt
Ⓒ Persönlichkeit ungeeignet   **Ⓗ** keine (geeignete) Berufsausbildung
Ⓓ fehlende Kenntnisse   **Ⓘ** überqualifiziert
Ⓔ Mängel in der Allgemeinbildung   **Ⓙ** unvereinbare Arbeitszeitwünsche

1	
2	
3	
4	
5	
6	
7	
8	
9	
10	

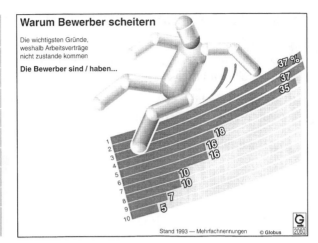

Warum Bewerber scheitern

Die wichtigsten Gründe,
weshalb Arbeitsverträge
nicht zustande kommen

Die Bewerber sind / haben...

37 %
37
35

18
16
16

10
10

7
5

Stand 1993 — Mehrfachnennungen   © Globus

ⓑ Sätze bilden
Formulieren Sie zu jedem der Gründe einen Satz mithilfe der folgenden
Konnektoren oder Präpositionen.

⟨ weil – da – denn – aufgrund – nämlich – wegen

Beispiel:
Manche Bewerber bekommen keine Stelle, weil sie schon zu alt sind.

zu Seite 86, 5

___3___   **Konnektoren und Präpositionen** → GRAMMATIK

ⓐ Ergänzungsübung
Setzen Sie die passenden Wörter in die Lücken ein.

⟨ denn – infolge – zu ..., um ... zu – aufgrund – weil –
aus diesem Grund – wegen – daher – zu ..., als dass

Für die Arbeitgeber scheint die derzeitige Arbeitsmarktlage recht günstig zu sein; *aus diesem Grund* können sie bei der Suche nach neuen Mitarbeitern meist unter einer Fülle von Bewerbern auswählen. Dennoch kommt es vor, dass Stellen unbesetzt bleiben. Die häufigsten Gründe, weshalb Arbeitsverträge nicht zustande kommen, zeigt das Schaubild. Aus Sicht der Arbeitgeber waren 37% der Bewerber .... ihrer Persönlichkeit nicht geeignet, weitere 37% wurden abgelehnt, ... sie bei ihren Gehaltsforderungen zu hoch gepokert hatten. 35% hatten keine ausreichenden Kenntnisse und sind .... gescheitert. .... zu geringer Berufserfahrung erhielten 18% keine Zusage bei der Jobsuche. Jeweils 16% hatten entweder keine geeignete Ausbildung oder ihre Arbeitszeitwünsche waren mit denen der Arbeitgeber nicht vereinbar. Einige Bewerber (10%) waren .... alt, ... man ihnen noch eine neue Stelle angeboten hätte. .... ihrer mangelhaften Allgemeinbildung wurde weiteren 10% abgesagt. 7% scheiterten beim Vorstellungsgespräch, ... sie waren gesundheitlich beeinträchtigt und 5% waren sogar .... hoch qualifiziert, ... die ausgesuchte Stelle .... erhalten.

ⓑ Korrigieren Sie anhand des Textes Ihre Vermutungen aus Aufgabe 2a.

zu Seite 86, 5

___4___   **Ergänzen Sie die Sätze.** → GRAMMATIK

ⓐ Frau Küng ist im Berufsleben erfolgreich, weil ...
ⓑ Aufgrund ... hat sie bei der Stellensuche keine Probleme.
ⓒ Sie könnte sich aber auch selbständig machen, ... nämlich ...
ⓓ Am kommenden Dienstag wird sie sich bei Firma Müller vorstellen, da ...
ⓔ Wegen ... bietet man ihr die Stelle an.

LEKTION 5

zu Seite 87, 2

__5__   Tabellarischer Lebenslauf → **WORTSCHATZ/SCHREIBEN**

a Begriffe ergänzen
Ergänzen Sie folgende Angaben in der linken Spalte
des tabellarischen Lebenslaufs.

Geburtsort – Schulbildung – Berufstätigkeit – Fortbildung – Geburtsdatum –
Auslandsaufenthalte – Berufsausbildung – Name – Adresse

LEBENSLAUF

Name:	Niemüller, Dominik Sieberstr. 17 81373 München
....	Stuttgart 6. April 1973
....	4 Jahre Grundschule 6 Jahre Realschule Abschluss: Mittlere Reife
....	3-jährige Ausbildung zum Offset- drucker bei der Süddeutschen Druckerei GmbH, Würzburg 2-jährige Umschulung zum Industrie- kaufmann beim DATA-Institut, München
....	3 Jahre als Offsetdrucker bei der Druck-KG, Frankfurt 2 Jahre als Industriekaufmann bei der Firma Wacker GmbH, München
....	Zertifikatskurs an der Volkshoch- schule: Technisches Englisch Kurs am DFI-Institut: Gesprächs- führung und Übung in freier Rede
....	3-monatiger Sprachkurs in Sussex, England

b Lebenslauf verfassen
Verfassen Sie nun anhand der Angaben in der linken Spalte einen
tabellarischen Lebenslauf für sich selbst.

LEKTION 5

zu Seite 88, 5

6 Bewerbungsbrief → SCHREIBEN

Suchen Sie für sich selbst ein Stellenangebot in einer Zeitung (kann auch eine muttersprachliche sein) und ergänzen Sie den Bewerbungsbrief entsprechend.

....

....

....

....

Ihr Stellenangebot

Sehr geehrte Damen und Herren,
Ihre Stellenanzeige in .... vom .... hat mein
besonderes Interesse geweckt.
Sie suchen jemanden, der ....

Meine spezielle Eignung für diese Tätigkeit möchte ich im
Folgenden darlegen:
Ich bin .... und arbeitete bereits ....

Während meiner Tätigkeit erwarb ich Kenntnisse in ....

Sehr gern arbeite ich ....
Ich verfüge auch über Wissen im .... Bereich, ...

Wenn Sie mir die Gelegenheit zu einem persönlichen Gespräch
geben, freue ich mich.

Mit freundlichen Grüßen

....

Anlagen: ....

....

zu Seite 88, 5

7 Wortpaare finden → WORTSCHATZ

Jeweils ein Wort aus der linken und aus der rechten Spalte drücken eine gegenteilige Wertung aus. Suchen Sie die Paare. Welche Wörter haben bei einer Bewerbung Ihrer Meinung nach eine positive, welche eine negative Bedeutung?

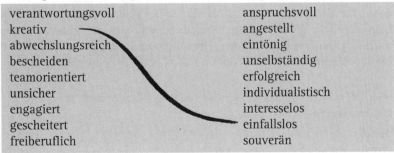

verantwortungsvoll	anspruchsvoll
kreativ	angestellt
abwechslungsreich	eintönig
bescheiden	unselbständig
teamorientiert	erfolgreich
unsicher	individualistisch
engagiert	interesselos
gescheitert	einfallslos
freiberuflich	souverän

LEKTION 5

zu Seite 89, 2b

__8__   Jemanden um Auskunft bitten → SPRECHEN

Sie erkundigen sich telefonisch nach einer Stelle, die in der Zeitung inseriert war. Ergänzen Sie folgende Satzanfänge.

Und dann würde ich gern ...	Außerdem wollte ich noch ...
Könnten Sie mir vielleicht ...	Also, können wir so ...
Haben Sie eine ...	Wie ist das ...
Ist es denn ...	Mich würde noch ...

ⓐ *....Könnten Sie mir vielleicht........* sagen, ob Herr Meier zu erreichen ist?

ⓑ .... möglich, dass Sie mich morgen gegen 10 Uhr zurückrufen?

ⓒ .... Ahnung, ob man bei dieser Tätigkeit Schicht arbeiten muss?

ⓓ .... wissen, wie lange die tägliche Arbeitszeit ist.

ⓔ .... interessieren, ob man einen Dienstwagen bekommt.

ⓕ .... eigentlich, wenn man unterwegs übernachten muss?

ⓖ .... verbleiben, dass ich am Mittwoch zu einem persönlichen Gespräch komme?

ⓗ .... fragen, auf welches Fachgebiet man sich spezialisieren könnte.

zu Seite 90, 3

__9__   Paraphrasen → WORTSCHATZ/SPRECHEN

ⓐ Lesen Sie folgenden Zeitungsartikel.

Der neue Trend: Tausche Nachhilfe gegen Haarschnitt
Gegenseitige Dienstleistung hilft Münchnern Geld sparen

Ihre Währung heißt „Kirchheimer" oder „Isartaler" und existiert nur auf dem Papier. Sie ist Zahlungsmittel für eine ganz besondere Nachbarschaftshilfe: LETS heißt sie. Das bedeutet wörtlich aus dem Englischen übersetzt „lokales Tausch- und Handelssystem". Was dahintersteckt, ist ganz einfach. Zum Beispiel: Sie brauchen dringend jemanden, der Ihren Wasser-
5 hahn repariert, bezahlen können Sie das mit Kinderhüten. Sie müssen allerdings nicht bei demjenigen babysitten, der Ihnen den Hahn gerichtet hat, das organisiert der Tauschring.

In München wurde er vor eineinhalb Jahren von Lothar Mayer (59) ins Leben gerufen. Mittlerweile bilden sich in den einzelnen Stadtteilen oder Gemeinden im Landkreis Teilgruppen. Denn man hat festgestellt, das System „Arbeit gegen Arbeit" klappt prima, aber
10 am besten im kleinen Rahmen. So läuft es ab: Bei einem Mitgliedertreffen am letzten Montag im Monat gibt es neue Listen mit Angeboten und Gesuchen. Jedes Mitglied bietet an, was es am besten kann: Hilfe am Computer oder bei der Steuererklärung gibt es ebenso wie Gitarrenunterricht oder Tapezieren.

Abgerechnet wird mit einem Zeitsystem. „Man muss sich kennen, damit man einander hilft,
15 das ist das Geheimnis", sagt Lothar Mayer. Der Dolmetscher hat das Tauschsystem bei einem Englandurlaub kennen gelernt. Er selbst bietet sich als lebendes Englischlexikon an und nutzt den Tauschring zur Kinderbetreuung oder für Einkäufe im Krankheitsfall. Wer sich für die Tauschringe interessiert, kann anrufen unter der Nummer ...

ⓑ Welche Formulierungen werden für die folgenden Ausdrücke im Text verwendet?

Beispiel:

Wie das funktioniert ...   *Was dahintersteckt ... (Z. 3/4)*

1. ... die Vermittlung übernimmt ...
2. ... wurde ... gegründet.
3. ... funktioniert ausgezeichnet
4. ..., in denen steht, welche Dienste gebraucht werden oder zu haben sind.
5. ... worin es am meisten Erfahrung hat
6. Die Bezahlung erfolgt über ...
7. ... sich gegenseitig unterstützt ...
8. ... kennen lernen möchte, ...

c Formulieren Sie drei Fragen, die Sie in einem Telefongespräch einem Mitarbeiter des „Tauschrings" stellen würden.

zu Seite 92, 6

10 Konditionale Satzverbindungen → GRAMMATIK

Was passt zusammen? Verbinden Sie jeweils einen Satz aus der linken und einen aus der rechten Spalte mit einem passenden Konnektor oder einer passenden Präposition aus der mittleren Spalte. Manchmal gibt es mehrere Möglichkeiten.

Beispiel:
Wenn Frau Meindl sehr viel Arbeit hat, muss sie Überstunden machen.

Frau Meindl hat sehr viel Arbeit.		Sie kann die Videokamera nicht kaufen.
Sie hat Rückenschmerzen.	wenn	Sie sollte die Qualität ihres Bürostuhls überprüfen.
Sie hat eine langwierige Krankheit.	im Falle	Sie muss Überstunden machen.
Sie bekommt dieses Jahr kein Weihnachtsgeld.	ohne	Sie muss ein ärztliches Attest bringen.
Sie liest ein interessantes Stellenangebot in der Zeitung.	falls	Sie will an die Probleme im Büro nicht denken.
Sie wandert am Wochenende.	bei	Sie kann die Verbesserungsvorschläge gegenüber ihrem Chef nicht durchsetzen.
Sie hat keine Unterstützung von ihren Kolleginnen.		Sie erkundigt sich vorab telefonisch.

zu Seite 93, 3

11 Überlegungen zur Berufswahl → SCHREIBEN

Was sollte man bedenken, bevor man sich für einen Beruf entscheidet?

a Sammeln Sie zu diesem Thema Stichpunkte und bringen Sie sie in eine sinnvolle Reihenfolge.

Beispiele:
■ notwendige Qualifikation
■ hauptsächliche Tätigkeit (sitzen im Büro, auf Reisen sein, ...)

b Verfassen Sie mit Hilfe der folgenden Satzteile eine Empfehlung.

Man sollte sich vorher gut überlegen, ob/wie ...
Außerdem muss man unbedingt darüber nachdenken, ...
Wichtig erscheint mir auch ...
... darf man dabei nicht vergessen.
Abschließend möchte ich noch hinzufügen, ...

LEKTION 5

zu Seite 94, 3

12 Mein Traumberuf → SCHREIBEN

Beschreiben Sie Ihren Traumberuf. Folgende Satzanfänge können Ihnen helfen.

Am liebsten wäre ich ...
Da kann man ...
Und man muss nur ...
Außerdem gibt es ...
Leider ...

zu Seite 95, 3

13 Wer übt welche Tätigkeiten aus? → WORTSCHATZ

a Bankangestellter	1 Versandpapiere ausstellen
	2 über Kreditmöglichkeiten informieren
b Hotelfachfrau	3 Manuskripte auswählen
	4 Bauherrn beraten
c Erzieherin	5 Blumen und Gemüse züchten
	6 Holz bearbeiten
d Spediteur	7 Modellhäuser entwerfen
	8 Zinsen berechnen
e Verlagslektorin	9 Zimmerbuchungen entgegennehmen
	10 Streit um Spielsachen schlichten
f Gärtner	11 Beete bewässern
	12 eine Fracht verladen
g Schreiner	13 Tischbeine verleimen
	14 sich um den Zimmerservice kümmern
h Architektin	15 mit den Kleinen basteln
	16 mit Autoren verhandeln

zu Seite 95, 3

14 Redewendungen und Sprichwörter → WORTSCHATZ

Setzen Sie die folgenden Ausdrücke in die Sätze unten ein.

Es ist noch kein Meister vom Himmel gefallen.

Lehrjahre sind keine Herrenjahre.

ein Trittbrettfahrer sein

nicht mehr wissen, wo einem der Kopf steht

sich kein Bein ausreißen

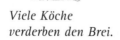

Viele Köche verderben den Brei.

a Vor Weihnachten haben wir in der Spielwarenabteilung immer so viel Arbeit, dass wir ...

b Die neue Praktikantin ist jedes Mal völlig verzweifelt, wenn sie einen Fehler macht. Doch ihre Chefin beruhigt sie dann immer mit folgenden Worten: ...

c Alle arbeiten wie verrückt, nur der Kollege Schneider ...

d Er tut immer so, als sei er der fleißigste Mitarbeiter. Außerdem gibt er seinen Vorgesetzten grundsätzlich Recht. Er ...

e Frank Bauer hält nicht viel von Teamarbeit. Immer, wenn ihm ein Kollege vorschlägt, ein Projekt in der Gruppe durchzuführen, sagt er: ...

f Einige Auszubildende beschweren sich über ihre langweiligen Tätigkeiten. Doch der Ausbilder sagt immer nur: „Das ist nun mal so. ..."

LEKTION 5

zu Seite 95, 5

15 Was macht man, wenn ...? → WORTSCHATZ
Ergänzen Sie die folgenden Ausdrücke.

Berufserfahrung sammeln auf eigene Rechnung arbeiten um Auskunft bitten einen Termin ausmachen Voraussetzungen mitbringen ein Formular ausfüllen	(etwas) auf den neuesten Stand bringen seine Kenntnisse erweitern einen Vertrag abschließen seinen eigenen Lebensunterhalt verdienen

a Wenn man etwas wissen will, kann man jemanden *um Auskunft bitten.*
b Wenn man einen neuen Pass braucht, muss man ...
c Wenn man Fachmann/-frau werden will, sollte man erst einmal ...
d Wenn man eine neue Stelle antritt oder eine neue Wohnung mietet, muss man ...
e Wenn man von seinen Eltern nicht mehr finanziell unterstützt wird, muss man ...
f Wenn etwas veraltet oder unmodern ist, muss man es ...
g Wenn man ein Praktikum macht, kann man ...
h Wenn man sich mit jemandem geschäftlich treffen will, sollte man ...
i Wenn man eine leitende Stelle haben will, muss man die erforderlichen ...
j Wenn man nicht angestellt ist, ... man ...

zu Seite 96, 6

16 Beziehungen am Arbeitsplatz → WORTSCHATZ/GRAMMATIK
Bilden Sie Sätze.

ein Arbeitgeber mehrere Arbeitnehmer Betrieb bestehen aus normalerweise	Beispiel: *Ein Betrieb besteht normalerweise aus einem Arbeitgeber und mehreren Arbeitnehmern.*

A
Mitarbeiter
Vorgesetzter
Anweisungen befolgen

B
viele Sachbearbeiter
Abteilungsleiter
verantwortlich sein für

C
Meister
Handwerksbetrieb
Ausbildung
zuständig sein für

D
Angestellter
Selbständiger
Einkommen
nicht so geregelt wie

E
Chef
Sekretärin
Arbeiten erledigen für

5

LEKTION 5

zu Seite 99, 9

17 Regeln für den Arbeitsplatz → **GRAMMATIK**

Formen Sie folgende Sätze um. Verwenden Sie die Konnektoren oder Präpositionen in Klammern.

Beispiel:
Sollte Ihr Chef Ihnen eine Gehaltserhöhung versprechen, nehmen Sie ihn beim Wort. (*falls*)
Falls Ihr Chef Ihnen eine Gehaltserhöhung verspricht, nehmen Sie ihn beim Wort.

a Wenn Sie den ganzen Tag im Büro sitzen, dann treiben Sie am besten zweimal pro Woche Ausgleichssport. (*Verb in Position 1*)

b Bei einem Streit mit einem Vorgesetzten können Sie den Betriebsrat um Hilfe bitten. (*wenn*)

c Wenn Sie Fragen zur Arbeitszeitregelung haben, wenden Sie sich an das Personalbüro. (*bei*)

d Falls ein Kollege Sie zum Mittagessen einlädt, dürfen Sie sich ruhig revanchieren. (*„sollte" in Position 1*)

e Im Falle eines Stromausfalls im Lift Ihres Bürogebäudes bewahren Sie bitte Ruhe! (*falls*)

zu Seite 99, 9

18 Vergleichssätze mit *je ... desto* → **GRAMMATIK**

Bilden Sie Sätze.

Beispiel:
Der Job ist langweilig. Die Zeit vergeht langsam.
Je langweiliger der Job ist, desto langsamer vergeht die Zeit.

a Die Ausbildung ist gut. Die Chancen auf dem Arbeitsmarkt sind groß.

b Der Chef lobt seine Mitarbeiter oft. Sie sind motiviert.

c Das Bewerbungsschreiben ist klar formuliert. Man liest es gern.

d Die Kenntnisse eines Bewerbers sind vielseitig. Das Interesse des Personalchefs ist groß.

zu Seite 99, 9

19 Konditionale Konnektoren und Präpositionen → **GRAMMATIK**

Ergänzen Sie folgende Konnektoren und Präpositionen.

falls – sonst – wenn – je ... desto – im Falle – ohne – sollte

a ......Wenn...... Sie einen Nebenjob suchen, rufen Sie uns umgehend an.

b Wir beschäftigen uns mit ganz besonderen Bereichen des Im- und Exports. .... ungewöhnlicher der Auftrag ist, ... interessanter wird er für uns und eventuell auch für Sie.

c Warten Sie nicht zu lange damit, uns anzurufen, ... könnte es zu spät sein.

d Wir garantieren Ihnen: .... eines Vertragsabschlusses mit einem neuen Kunden erhalten Sie eine Sonderprämie.

e Auch .... Berufserfahrung können Sie bei uns einsteigen.

f .... die Zusammenarbeit nicht zufriedenstellend sein, lässt sich das Arbeitsverhältnis von beiden Seiten fristlos kündigen.

g .... Sie noch mehr über uns wissen wollen, wählen Sie die Nummer 08721- 3325.

zu Seite 99, 9

20 Stellenwechsel → **LESEN/GRAMMATIK**

a Wer wechselt wie häufig die Stelle?
Ordnen Sie die Ziffern aus der Statistik zu.
Nehmen Sie dafür die Informationen aus dem Text
zu Hilfe.

☐ verheiratete Arbeitnehmer
☑ Männer
☐ ledige Arbeitnehmer
☐ verwitwete Arbeitnehmer
☐ Frauen

Alter und Ehe bremsen Mobilität

Jeder fünfte ledige Mann hat in den letzten zwei Jahren seinen Hut genommen und den Betrieb oder sogar
den Beruf gewechselt. Damit sind die Ledigen männ-
lichen Geschlechts die eifrigsten „Job-Hopper" unter
den Berufstätigen. Kein Wunder, sind sie doch nicht nur ungebunden,
sondern meist auch jung, und viele haben ihre Lebensstellung noch nicht
gefunden. Ähnlich bei den weiblichen Ledigen; sie wechseln Job oder
Beruf kaum weniger häufig. Ganz anders sieht es bei Verheirateten bei-
derlei Geschlechts aus. Mit Familie fällt es offenbar schwerer, das Risiko
eines Wechsels auf sich zu nehmen. Erst recht erweist sich das Alter als
Bremse für die berufliche Mobilität. Denn die verwitweten Männer oder
Frauen sind in aller Regel schon älter, und diese Arbeitnehmergruppe
wechselt seltener als alle anderen den Betrieb oder den Beruf.

Job-Hopper
Betrieb oder Beruf haben in den letzten
zwei Jahren gewechselt...
1 ☐ 2 ☐
...von je 1000
205   3   194
135   geschiedenen Arbeitnehmern   128
89   4   88
65   5   55
Quelle: Stat. Bundesamt
© Globus
8781

b Gründe für den Stellenwechsel
Vervollständigen Sie den Raster.

Wie oft?	Wer?	Warum?
häufig	ledige Arbeitnehmer	sie sind ungebunden sie haben ...
weniger häufig	verheiratete Arbeitnehmer	
eher selten	verwitwete Arbeitnehmer	

c Kausale, konsekutive und konditionale Sätze
Formulieren Sie Sätze mit folgenden Konnektoren oder Präpositionen.
Nehmen Sie die Informationen aus dem Schaubild und dem Text zu
Hilfe.

kausal (Grund): weil, denn, nämlich, aufgrund, deswegen
konsekutiv (Folge): so dass, um ... zu, infolge, folglich
konditional (Bedingung): wenn, bei, je ... desto

Beispiel:
*Wenn man ledig und ungebunden ist, wechselt man häufiger den
Betrieb.*

LEKTION 5 – *Aussprachetraining*

1   Die „aspirierten" Konsonanten

Nehmen Sie ein Blatt Papier und halten Sie es etwa zehn Zentimenter vor Ihren Mund.

Nun sprechen Sie den Laut *p* so, dass sich das Papier deutlich bewegt. Man spricht eigentlich: *p + h*, also ein aspiriertes *p*.

Nun sprechen Sie die Laute *t* und *k* genauso aspiriert, bis sich das Blatt bewegt.

Die Laute *b - d - g* sind nicht aspiriert.
Halten Sie ein Blatt Papier vor den Mund und sprechen Sie:

b - p
d - t
g - k

Kontrollieren Sie sich gegenseitig, indem Sie das Blatt beobachten.

2   Wortpaare

Hören Sie und sprechen Sie anschließend nach.

a

Bass	-	Pass	Daumen	-	taumeln	Kehle	-	Gel
plus	-	Bluse	trennen	-	drinnen	grau	-	Kraut
Pinie	-	Biene	tun	-	du	kratzen	-	Glatze

b

Lappen	-	laben	Feder	-	Vetter	legen	-	lecken
Liebe	-	Lippe	Made	-	Mathe	wegen	-	wecken
Viper	-	Fibel	Motte	-	Mode	Macke	-	Magen

3   *b - d - g* am Wortende

Wenn *b - d - g* Endbuchstaben sind, d.h. am Ende eines Wortes oder einer Silbe stehen, spricht man *p - t - k*. Bei *Kleid* und *weit* hört und spricht man also am Ende ein aspiriertes *t*.
Hören Sie und sprechen Sie anschließend nach:

a

Typ	-	Betrieb
Gebiet	-	Abschied
Tätigkeit	-	Bescheid
Zweck	-	weg
Scheck	-	Beleg

aber:

b

bleib	-	bleiben
fremd	-	Fremde
Held	-	Helden
Vertrag	-	Verträge
gib	-	geben

4 **Lautkombinationen**

a Hören Sie die Sätze einmal ganz.

b Hören Sie die einzelnen Sätze und sprechen Sie nach.

- Geben Sie mir Bescheid. Gib mir Bescheid.
- Der Hauptteil des Textes besteht aus wörtlicher Rede.
- Die Gäste in der Diskothek sind entsprechend gekleidet. Die Gäste tragen entsprechende Kleidung.
- Gut gelaunt beginnt er die Gartenarbeit.
- Das Hotel bietet praktische Parkmöglichkeiten.
- Auf diesem Gebiet ist der Betrieb ein Trendsetter. Viele Betriebe imitieren die beliebten Produkte.
- Ein grobkariertes Hemd passt bei der groben Gartenarbeit.
- Der Vertrag wurde erfolgreich abgeschlossen. Bei uns trinkt man auf erfolgreich abgeschlossene Verträge.

Lernkontrolle: Was haben Sie in diesem Kapitel gelernt?
Kreuzen Sie an.

Rubrik	Handlungen	gut	besser als vorher	möchte ich noch vertiefen
Lesen	selektives Lesen: *Stellenanzeigen* auf bestimmte Inhalte hin lesen	☐	☐	☐
	den Textaufbau einer *Reportage* rekonstruieren	☐	☐	☐
	Textintention und Stilmerkmale einer *Glosse* erkennen	☐	☐	☐
Hören	Informationen und typische Redemittel aus *Informationsgesprächen* notieren	☐	☐	☐
	Hauptaussagen und Einzelheiten einer *Radiosendung* entnehmen	☐	☐	☐
Schreiben	den Aufbau eines Bewerbungsschreibens analysieren	☐	☐	☐
	ein Bewerbungsschreiben mit Hilfe von Versatzstücken verfassen	☐	☐	☐
Sprechen	ein Telefongespräch mit dem Personalbüro einer Firma vorbereiten und simulieren	☐	☐	☐
	wichtige Redemittel für ein Auskunftsgespräch verwenden	☐	☐	☐
	ein vorbereitetes Interview (Berufsporträt) durchführen und anschließend darüber berichten	☐	☐	☐
	spontan mit Hilfe von Redemitteln argumentieren	☐	☐	☐
Wortschatz	Wortschatz zum Thema „Beruf und Arbeit" zuordnen und verwenden; Wortfelder zum Thema „Beruf" erarbeiten	☐	☐	☐
Grammatik	kausale, konsekutive und konditionale Konnektoren in Haupt- und Nebensätzen verwenden	☐	☐	☐
	die Varianten Konnektoren – Präpositionen verstehen und anwenden	☐	☐	☐
Lerntechnik	Die Lesestile globales, selektives und detailliertes Lesen unterscheiden	☐	☐	☐
	verschiedene Lesestrategien sinnvoll anwenden	☐	☐	☐

Sprechen Sie mit Ihrer Kursleiterin/Ihrem Kursleiter über das Ergebnis.
Sie/Er wird Ihnen Tipps zum Weiterlernen geben.

Verben

abhalten von + *Dat.*

anstarren

aussterben

behaupten

bekämpfen

(sich) beschränken auf + *Akk.*

besiegen

bestehen aus + *Dat.*

darstellen

drohen

eingreifen in + *Akk.*

erledigen

erzeugen

etwas (nichts) werden aus + *Dat.*

flüchten

handeln von + *Dat.*

jemanden einsetzen für + *Akk.*

löschen

nachwachsen

nachweisen

retten

scheitern an + *Dat.*

sich lohnen

sich umschauen

sich versetzen in + *Akk.*

stattfinden

überleben

überschätzen

verhindern

verlangen

verseuchen

verwirklichen

voraussehen

wahrnehmen

zusammenfassen

zweifeln

Nomen

die Annahme, -n

der Artenschutz

der/die Außerirdische, -n

die Behörde, -n

der Energieaufwand

die Entdeckung, -en

das Erbgut

der Erfinder,-

die Erfinderin, -nen

das Fluggerät, -e

die Genforschung

das Geschlecht, -er

die Glaskuppel, -n

die Handlung, -en

das Hörspiel, -e

Die Hungersnot, ̈-e

das Jahrzehnt, -e

die Kommission, -en

die Lebenserwartung

das Lebewesen, -

die Luftglocke, -n

das Mienenspiel, -e

die Prophezeiung, -en

die Raumfahrt

die Sicht, -en

die Stellungnahme, -n

der Umschlag, ̈-e

die Umweltverschmutzung

das Urteil, -e

die Verpestung

die Vision, -en

der Vorschlag, ̈-e

die Wüste, -n

Adjektive und Adverbien

ahnungslos

begeisterungsfähig

bewohnbar (un-)

drohend

erstaunlich

erstaunt

fraglich

geeignet (un-)

gelegentlich

gelungen

lebensbedrohlich

leblos

machtbewusst

neulich

nüchtern

realisierbar

regelmäßig (un-)

renommiert

ständig

utopisch

veraltet

vermutlich

verwirrt

wertvoll

wissbegierig

zeitaufwendig

Ausdrücke

auf der faulen Haut liegen

auf etwas hindeuten

Aufsehen erregen

einen Versuch unternehmen

Erlebnisse schildern

Grenzen setzen

höchste Zeit sein

in Konflikt geraten

vom Aussterben bedroht sein

6

LEKTION 6

zu Seite 108, 6

1   Formen des Konjunktivs II → **GRAMMATIK**

Setzen Sie folgende Verben in den Konjunktiv II. Wählen Sie dabei eine gebräuchliche Form.

ⓐ Gegenwart

er kommt - *er käme*	er nimmt -
wir fragen - *wir würden fragen*	ihr arbeitet -
sie weiß -	sie brauchen -
ich bin -	du darfst -
du kannst -	wir wollen -
ihr habt -	das heißt -
sie gehen -	ich schlafe -
wir helfen -	sie sollen -

ⓑ Vergangenheit

ich fuhr -	ich kannte -
er spielte -	er ging aus -
sie hatte geholt -	er war gekommen -
wir wussten -	wir machten -
sie durften -	sie hat erzählt -
du hast gesehen -	sie hatten überlebt -
er ist geflogen -	er war erstaunt -
ihr bliebt -	sie drohten -

zu Seite 108, 6

2   Regeln zum Konjunktiv II → **GRAMMATIK**

Ergänzen Sie die Regeln zu den Formen des Konjunktivs II.

ⓐ Die Originalformen des Konjunktivs II benutzt man vor allem bei den Hilfsverben .... und .... sowie den ....-verben.

ⓑ Bei allen anderen Verben ist in der Alltagssprache die Umschreibung mit .... üblicher. Die ....-form klingt meist veraltet.

ⓒ Eine Ausnahme bilden Verben wie *brauchen, geben, kommen, lassen* oder *wissen*. Sie stehen auch heute noch häufig in der Originalform des Konjunktivs II.

zu Seite 108, 6

3   Irreale Bedingungen → **GRAMMATIK**

Antworten Sie auf folgende Fragen mit einem irrealen Bedingungssatz.

Beispiel: Kennst du den Minister persönlich?
Antwort: *Wenn ich den Minister persönlich kennen würde, könnte ich ihm mein Problem selbst vortragen.*

ⓐ Frage: Kann man Naturkatastrophen verhindern?
     Antwort: ....

ⓑ Frage: Ist diese Methode veraltet?
     Antwort: ....

ⓒ Frage: Gibt es in deiner Heimat nur glückliche Menschen?
     Antwort: ....

ⓓ Frage: Zweifelst du an der Ehrlichkeit von Politikern?
     Antwort: ....

ⓔ Frage: Können Computer und Roboter in Zukunft alle Arbeiten übernehmen?
     Antwort: ....

zu Seite 108, 6

__4__   Was wäre, wenn ...? → **GRAMMATIK**

Was würde passieren, wenn die abgebildeten Situationen real wären?
Formulieren Sie zu jedem Bild einen Satz.

Wenn der Mensch einen Propeller hätte, käme er schneller vorwärts.

zu Seite 108, 8

__5__   Artikelwörter, Pronomen und Präpositionalpronomen → **LESEN/GRAMMATIK**

Auf welche Stellen im Text beziehen sich jeweils die fett
gedruckten Verweiswörter?

„Im Jahr 1984 wird es uns gelungen sein, synthetische Lebensmittel
herzustellen." **Das** meinte 1964 der schottische Professor für Biologie C. H.
Waddington. Und wie stellte man sich den Speiseplan der Zukunft vor? **Darauf** sollten „chemische Leckerbissen" stehen, **die** folgendermaßen gewonnen
wurden: Wasser, **das** dunkle Farbe und chemische Substanzen enthält, fließt
durch Röhren über eine Fläche. **Darüber** sind Sonnenkollektoren angebracht.
Die liefern die Energie, um aus den chemischen Substanzen künstliche
Kohlenhydrate, Öle und Eiweiß zu gewinnen. **Das** ist dann das Ausgangs-
material für Brot, Wurst, Bier und Beefsteak aus der Retorte. **Dazu** ist es
jedoch nicht gekommen. Denn es wäre unsinnig, etwas künstlich zu produ-
zieren, was die Natur viel effizienter und besser kann.

> *das bezieht sich auf den ganzen
> ersten Satz.*
> *darauf ...*

zu Seite 108, 8

__6__   Regeln zu *das, dies, es* und *da(r)* + Präposition → **GRAMMATIK**

Ergänzen Sie die Regeln für die Verweiswörter *das, dies, es*
und *da(r) + Präposition.*

ⓐ Die gleichbedeutenden Pronomen .... und .... verweisen auf
etwas, was vorher im Text stand, d.h. sie verweisen zurück. Sie stehen
gewöhnlich in Position ....

ⓑ Das Pronomen, das gewöhnlich auf etwas verweist, das noch folgt,
heißt .... Im Akkusativ kann es nicht in Position .... stehen.

ⓒ Hat das Verb im Satz eine feste Präposition, so bildet man ein Prono-
minaladverb nach der Regel .... + Präposition. Dieses Wort kann
sowohl nach vorne als auch nach .... verweisen, also auf etwas,
was schon im Text stand oder erst folgt.

LEKTION 6

zu Seite 108, 8

7   Erklärungen → GRAMMATIK

Erklären Sie die folgenden Begriffe, indem Sie sagen, was man *damit*
alles machen kann oder was *durch ihn/sie* alles passiert.

Beispiel:

der Mond: *davon* handeln viele Gedichte
            dahin kann man mit einem Raumschiff fliegen
            durch ihn werden die Ozeane beeinflusst

a   eine Kreditkarte: *dafür* ...
                 damit ...
                 dadurch ...

b   eine Weltreise: *davon* ...
                 dabei ...
                 darauf ...

c   die Zukunft: *davor* ...
                 darauf ...

d   eine Zeit-   *davon* ...
    maschine: *damit* ...
                 dadurch ...

zu Seite 108, 8

8   Was ist das? → WORTSCHATZ

Raten Sie, worum es sich bei den folgenden Definitionen handelt.

Beispiel: *darin kann man sich sehen*
          davon gibt es große und kleine, eckige und runde
          davor kann man stehen

Antwort: *ein Spiegel*

Definieren Sie zwei oder drei weitere Begriffe und lassen Sie die
anderen raten, worum es sich handelt.

zu Seite 109, 3

9   Höfliche Bitten → GRAMMATIK

a Welche der folgenden drei Bitten empfinden Sie als besonders höflich,
welche als weniger höflich?

Sie sitzen im Café und haben keine Uhr dabei, müssen aber zu einer wichtigen
Verabredung. Sie sagen zu Ihrem Tischnachbarn:

- „Typisch! Immer, wenn ich pünktlich sein muss, vergesse ich meine Uhr!"
- „Könnten Sie mir die Uhrzeit sagen?"
- „Ach, wären Sie wohl so freundlich und würden mir sagen, wie spät es ist!"

b Wie könnte man in folgenden Situationen direkt oder indirekt um etwas bitten?

- Sie haben kein Kleingeld dabei und müssen kurz an einem Münztelefon telefonieren.
  Was könnten Sie zu jemandem auf der Straße sagen?

- Sie sitzen in einem Restaurant und möchten etwas essen. Auf Ihrem Tisch liegt jedoch
  keine Speisekarte. Was könnten Sie zum Kellner sagen?

- Sie haben ein Problem und möchten mit einer Freundin/einem Freund darüber
  sprechen. Wie könnten Sie sie/ihn veranlassen, sich etwas Zeit für Sie zu nehmen?

- Sie haben sich in einer fremden Stadt verlaufen und finden den Weg zu einem
  bestimmten Museum nicht. Bitten Sie jemanden um Hilfe!

- Sie haben starken Schnupfen und vergessen, Taschentücher einzustecken.
  Versuchen Sie, von jemandem ein Taschentuch zu bekommen!

LEKTION 6

zu Seite 111, 3

10 Welches Wort passt nicht? → WORTSCHATZ

Behörde	denken	offenbar	Ansicht	verschmutzt
Kommission	zweifeln	früher	Vermutung	verboten
Verwandter	überlegen	vielleicht	Idee	verseucht
Vorgesetzter	meinen	unbedingt	Rettung	unbewohnbar
Geladener	sehen	selbstverständlich	Behauptung	leblos

zu Seite 111, 3

11 Ausdruckstraining → WORTSCHATZ

Ersetzen Sie die unterstrichenen Ausdrücke aus dem Hörspiel durch die
Verben in Klammern.

Beispiel:

Vertreter der Behörde (V): Sie wollen einen Fisch gesehen haben? (*behaupten*)
Sie behaupten, einen Fisch gesehen zu haben?

V: Wissen Sie, was das bedeutet? (*sich über etwas klar sein*)

V: Sie haben also einen Fisch gesehen – im Jahre 2972; obwohl es
seit 500 Jahren keine Fische mehr gibt. (*ausgestorben sein*)

Geladener (G): Wollen Sie, dass die Computer die Beurteilung
vornehmen? (*überlassen*)

G: Ich will sofort Ihren Vorgesetzten sprechen! (*verlangen*)

G: Sicher entdecken Sie den Fisch in kürzester Zeit. (*überzeugt sein*)

G: Sie wissen, dass es vermutlich längst eine Regeneration von Luft
und Wasser gegeben hat. (*stattfinden*)

zu Seite 111, 6

12 Irrealer Vergleich → GRAMMATIK

Bilden Sie Sätze mit *als ob*, *als wenn* oder *als* (+Verb).

Beispiel:

Peter hatte in seinen Diplomprüfungen sehr schlechte Noten.
Aber er tut so, als ob er die Prüfung mit guten Noten bestanden hätte.
Aber er tut so, als wenn ihm das nichts ausmachen würde.
Aber er tut so, als würde ihn das kalt lassen.

a Seine Freundin hat mit ihm Schluss gemacht.
Aber er tut so, als ob ...

b Er verdient in seinem Job sehr schlecht.
Aber er tut so, als wenn ...

c Peter weiß nicht, mit wem er das Wochenende verbringen soll.
Aber er tut so, als ...

d Oft sitzt er zu Hause und ist traurig.
Aber er tut so, als ...

LEKTION 6

zu Seite 111, 6

__13__ Es sieht so aus, als (ob/wenn) ... → GRAMMATIK
Ergänzen Sie die Sätze.

ⓐ Der Himmel sieht aus, *als ob es jeden Moment regnen würde.*
ⓑ Die Chefin sah ihre Angestellten an, als ...
ⓒ Der Junge spielt Fußball, als ...
ⓓ Großvater machte in der Küche solchen Lärm, als ...
ⓔ Sabine hat einen Appetit, als ...
ⓕ Frau Sauer erzählt so viel über Spanien, als ...

zu Seite 112, 2

__14__ Kritik → SCHREIBEN
Verfassen Sie eine Kritik zu einem Sciencefiction-Buch, das Sie gelesen haben bzw. zu einem Sciencefiction-Film, den Sie gesehen haben.

- Nennen Sie den Titel des Buchs bzw. des Films (kann auch in Ihrer Muttersprache sein).
- Informieren Sie über den Autor bzw. Regisseur.
- Fassen Sie den Inhalt in einigen Sätzen zusammen.
- Sagen Sie etwas zur Bedeutung der Handlung.
- Erläutern Sie abschließend, warum Sie das Buch oder den Film gut finden bzw. nicht gut finden.

Sie können beim Schreiben einige der folgenden Redemittel verwenden.

Titel	*Der Roman heißt ... ... schrieb ihn im Jahr ...*
Autor/Regisseur	*Der Film mit dem Titel ... wurde im Jahr ... von dem Regisseur/ der Regisseurin ... gedreht.*
Inhalt	*Er handelt von ...* *Die Hauptfigur ist .../Die Hauptrolle spielt ...* *Außerdem kommen darin ... vor.* *Die Handlung könnte man in wenigen Sätzen so zusammenfassen: ...*
Bedeutung	*... könnte im Zusammenhang mit ... stehen.* *... hat eine (symbolische) ... Bedeutung, d.h., ...* *... wird erst in der zweiten Hälfte der Geschichte/des Films klar.*
eigene Meinung	*Das Buch/Der Film ist meiner Meinung nach (nicht) sehr gelungen/spannend/lehrreich, denn ...* *Besonders interessant finde ich ...* *... hat mir weniger gut gefallen.* *Kurz gesagt halte ich den Roman/den Film eigentlich (nicht) für ....*

zu Seite 113, 3

__15__ Zeitangaben → WORTSCHATZ
Setzen Sie die passenden temporalen Ausdrücke in die Sätze ein.

damals – im Augenblick – in einigen Jahrhunderten – Jahreszeiten – jetzt – vor einigen Jahren – gegenwärtig – demnächst – täglich – in der Zukunft – vor kurzem

ⓐ *Vor kurzem* lief der neue Sciencefiction-Film „Die Primaten kommen aus dem All zurück" im Kino an. Den werde ich mir .... anschauen.

b .... gab es schon einmal einen Film mit einem ähnlichen Titel. Er hieß „Rückkehr vom Planet der Affen".

c .... interessierte mich die Thematik schon genauso wie ....

d In dem neuen Film geht es darum, dass wir .... noch keine Vorstellung davon haben, wie die Welt .... aussehen wird.

e Es gibt dann womöglich keine richtigen .... mehr und die Temperaturen werden per Computermanipulation .... um 2-3° erhöht oder gesenkt.

f Die Menschen treten .... auch mit Lebewesen von anderen Gestirnen in Kontakt.

g Ob sie dann glücklicher als .... leben werden, ist allerdings fraglich.

zu Seite 113, 3

16 Adjektivische Zeitangaben → WORTSCHATZ

Wie lauten die Adjektive zu folgenden Zeitangaben?
Enden sie auf -lich oder -ig? Manchmal gibt es zwei Möglichkeiten.

gestern	-	*gestrig*	heute	-
die Woche	-	*wöchentlich, zweiwöchig*	das Jahr	-
die Stunde	-		der Tag	-
der Monat	-		der Abend	-
die Zukunft	-		die Nacht	-
der Morgen	-			

zu Seite 113, 3

17 Zeitangaben: Wie sage ich es anders? → WORTSCHATZ

Ersetzen Sie die unterstrichenen Ausdrücke durch Adjektive
aus Übung 16. Achten Sie auf die Endungen.

Die Zeitung von <u>heute</u> (1) berichtet von einer ganz aktuellen Entwicklung. In der Beilage, <u>die einmal pro Woche</u> erscheint (2), wird das Zusammenleben der Menschen <u>in der Zukunft</u> (3) vorgestellt. Bei diesem Projekt, das <u>drei Jahre</u> gedauert hat (4), haben Städteplaner und Architekten zusammen gearbeitet. In der von ihnen geplanten Wohnanlage sollen die Bewohner die Möglichkeit haben, alles, was sie <u>jeden Tag</u> (5) erledigen müssen, maximal 200 Meter von zu Hause entfernt zu tun. Dazu gehören nicht nur der Fitnesslauf <u>am Morgen</u> (6), den man <u>in Zukunft</u> (7) auf dem Sportplatz vor der Haustür absolvieren kann, sondern auch Aktivitäten <u>am Abend</u> (8), wie z.B. Tanzkurse oder Kino- und Restaurantbesuche. Dafür stehen Freizeit- und Veranstaltungsräume zur Verfügung, die die Mieter nach einem Zeitplan, der <u>jeden Monat</u> (9) erstellt wird, nutzen können. Außerdem werden je fünf Bewohner gemeinsam ein Multimedia-Center führen, in dem jeder per Computer mindestens einmal <u>pro Tag</u> (10) seine Bankgeschäfte, Korrespondenz sowie Bestellungen in Supermarkt und Warenhäusern erledigen kann. Das würde für sie eine Zeitersparnis von circa 1000 Stunden <u>im Jahr</u> (11) bedeuten.

(1) *die heutige Zeitung*

(2) ....

(3) ....

(4) ....

(5) ....

(6) ....

(7) ....

(8) ....

(9) ....

(10) ....

(11) ....

LEKTION 6

zu Seite 113, 4

18 Redewendungen → WORTSCHATZ

Ergänzen Sie in den folgenden Texten die passenden Ausdrücke, in denen das Wort *Zeit* vorkommt.

a Es ist 9 Uhr abends, der fünfjährige Sebastian spielt immer noch mit seiner Eisenbahn. Sein Vater kommt ins Zimmer, schaut auf die Uhr und sagt: „*Es ist höchste Zeit* , ab ins Bett mit dir."

b Sabine will mit ihrem Freund ins Kino. Als der um halb neun immer noch vor dem Fernseher sitzt, sagt sie energisch: „*Jetzt* ! Wenn wir jetzt nicht losgehen, verpassen wir den Anfang."

c Wenn man plötzlich kein Auto mehr hat, ist das anfangs sehr ungewohnt, aber *mit* gewöhnt man sich daran, alles ohne Auto zu erledigen.

d Wenn ich nicht weiß, wie ich ein schwieriges Problem lösen soll, sagt mein Mann zu mir, um mich zu beruhigen: „Versuch doch nicht immer, alles so schnell zu lösen. Du weißt ja: *Kommt* ."

e Planung ist alles: Wer sich den Tag genau einteilt, kann viel .

zu Seite 116, 9

19 Synonyme → WORTSCHATZ

Setzen Sie die folgenden synonymen Ausdrücke oder Pronominaladverbien für das Wort *Haus* in den Text ein.

Reihenhaus – Gebäude – die eigenen vier Wände – Bungalow – darin – Eigenheim

Das Haus, in dem ich wohne, ist ein vierstöckiges <u>Haus</u>. <u>In dem Haus</u> wohnen zwölf Parteien. Einige Mieter wollen nicht ewig hier bleiben, sie sparen für ein <u>Haus, das ihnen selbst gehört</u>. Da der Bau oder Kauf eines <u>eigenen Hauses</u> in der Großstadt sehr teuer ist, sind die meisten mit einem <u>Haus, das Wand an Wand mit anderen steht</u>, schon zufrieden. Dort, wo die Grundstücke billiger sind, bauen viele Leute auch <u>flache</u>, <u>einstöckige Häuser</u>.

zu Seite 116, 9

20 Vom Satz zum Text → LESEN/GRAMMATIK

a Lesen Sie die kommentierte Zusammenfassung zum Roman „Briefe in die chinesische Vergangenheit".

b Ersetzen Sie die unterstrichenen Wörter durch Pronomen, Pronominaladverbien, Adverbien, Possessivartikel usw., so dass ein zusammenhängender Text entsteht.

Beispiel: Ein chinesischer Mandarin aus dem 10. Jahrhundert gelangt mit einer Zeitmaschine in das heutige München.
<u>Im heutigen München</u> sieht sich der <u>Mandarin</u> mit dem völlig anderen Leben der „Ba-Yan" und den kulturellen und technischen Errungenschaften der <u>„Ba-Yan"</u> konfrontiert.

Ein chinesischer Mandarin aus dem 10. Jahrhundert gelangt mit einer Zeitmaschine in das heutige München. Dort sieht er sich mit dem völlig anderen Leben ...

LEKTION 6

Der Mandarin weiß zunächst nur, dass er 1000 Jahre in die Zukunft gereist ist, nicht aber, dass er an einem völlig anderen Ort in einer völlig anderen Kultur gelandet ist.

Da er an einem völlig anderen Ort und in einer völlig anderen Kultur gelandet ist, kommt es zu grotesken Erlebnissen.

Diese grotesken Erlebnisse kommentiert der Chinese, der deutschen Sprache und Landeskunde zunächst unkundig, mit viel Humor.

Als Leser amüsiert man sich über die grotesken Erlebnisse und die humorvollen Kommentare.

Während man sich amüsiert, beginnt man, Alltägliches und Selbstverständliches der eigenen Kultur aus einer gewissen Distanz zu betrachten.

Die Distanz entsteht dadurch, dass man die eigene Kultur durch die „Brille" eines naiven und erstaunten Fremdlings sieht.

Aus dieser Perspektive gelingt es dem Autor, auf ironische Weise Selbstkritik bzw. Kritik an der eigenen Kultur zu üben.

zu Seite 116, 12

21 Stellen Sie sich vor ... → GRAMMATIK
Setzen Sie die Aussagen in die irreale Form. Achten Sie dabei auf die richtige Zeitstufe.

a Ich kannte den Herrn nicht. Ich grüßte ihn nicht.
Wenn ich den Herrn gekannt hätte, hätte ich ihn gegrüßt.
Hätte ich den Herrn gekannt, hätte ich ihn gegrüßt.

b Herr Siebert kam erst spät nach Hause. Seine Frau schlief schon.

c Die Übertragung des Fußballspiels beginnt um 19 Uhr. Wir kommen leider erst um 20 Uhr zurück und können sie nicht ganz sehen.

d Die Feuerwehr wurde zu spät benachrichtigt. Sie konnte das Feuer nicht mehr löschen.

e Die Umweltverschmutzung zerstört den Lebensraum vieler Tiere. Eine Vielzahl von Tierarten ist schon ausgestorben.

f Die Politiker nehmen die Warnungen der Experten nicht wahr.
Sie unternehmen nichts gegen die Ausdehnung der Wüste.

zu Seite 116, 12

22 Konjunktiv II mit Modalverben und im Passiv → GRAMMATIK
Setzen Sie die folgenden Verben in den Konjunktiv II.

Konjunktiv II mit Modalverben	Konjunktiv II im Passiv
er muss erledigen – *er müsste erledigen*	er wird angeklagt – *er würde angeklagt*
wir konnten helfen – *wir hätten helfen können*	er wurde befragt – *er wäre befragt worden*
sie sollte anrufen –	wir werden gebraucht –
du musstest fragen –	sie wurden belogen –
ich will erklären –	ihr seid bestraft worden –
ich sollte überlegen –	ich werde angerufen –
man muss zweifeln –	du wirst beobachtet –
wir können verwirklichen –	wir wurden gerettet –

91

zu Seite 116, 13

23 Irreale Wünsche → GRAMMATIK

Frau Schulz ist mit ihrem Leben unzufrieden. Alles sollte anders ein.
Formulieren Sie ihre Wünsche mit den Partikelwörtern *doch, nur, doch nur, bloß,* oder *doch bloß.*

a Frau Schulz hat eine kleine, dunkle 2-Zimmer-Wohnung. Sie wünscht sich: *Wenn* ich *doch nur* eine größere und hellere Wohnung *hätte!* oder *Hätte* ich *bloß* eine größere Wohnung!

b Ihr Auto ist schon zwölf Jahre alt. Sie wünscht sich: ...

c Sie lebt schon lange allein.

d Sie fühlt sich dick und hässlich.

e Sie hat keine Kinder.

f Ihre Arbeit findet sie langweilig.

zu Seite 117, 4

24 Die Welt im Jahre 2100? → SCHREIBEN

Verfassen Sie mit ein wenig Phantasie ein kleines Szenario der Zukunft.

Berichten Sie darüber,

■ was wir essen und trinken werden.

■ wie wir wohnen werden.

■ welche Verkehrsmittel wichtig sein werden.

■ wie sich unsere Arbeit verändert haben wird.

Sagen Sie zum Schluss, worauf Sie sich besonders freuen.
Schreiben Sie circa 150 Wörter.

zu Seite 117, 4

25 Die unendliche Geschichte → WORTSCHATZ

Lesen Sie die Zusammenfassung zu folgendem Film und setzen Sie die Verben in der linken Spalte an die richtigen Stellen im Text ein.

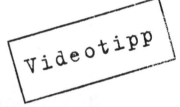

DIE UNENDLICHE GESCHICHTE

REGIE WOLFGANG PETERSEN

NACH EINEM ROMAN VON MICHAEL ENDE

entdeckt
erhält
durchlebt
durchsetzen
gejagt
erkennt
schikaniert
flüchtet
versteckt

Der mutterlos aufwachsende, verträumte Bastian wird von seinen Klassenkameraden ständig *schikaniert*. Als er wieder einmal von ihnen _____ wird, _____ er in ein Antiquariat, wo er das Buch mit der unendlichen Geschichte _____. Er _____ sich mit der Lektüre auf dem Dachboden seiner Schule, taucht in die Welt des jungen Helden Artréjus ein. Er _____ Artréjus verzweifelten Kampf, das Land Phantasien, dessen skurrile Bewohner und die kindliche Kaiserin vor der Zerstörung durch das Nichts zu bewahren. Dabei _____ Bastian eine Schlüsselrolle. Er _____ sich selbst und gewinnt das nötige Selbstvertrauen, mit dem er sich in Zukunft in der wirklichen Welt _____ will.

__1__

Wortpaare *l* – *r*

Hören Sie und sprechen Sie dann nach.

blaue	–	Braue		Wert	–	Welt
groß	–	Kloß		lasten	–	rasten
Alm	–	Arm		legen	–	Regen

 __2__

l und *r* kombiniert

Hören Sie und sprechen Sie nach.

- Der Plan ist praktisch fertig.
- Das Projekt ist plötzlich geplatzt.
- Die Pflaumen schmecken prima.
- Man braucht bloß langsam und leise zu trainieren.

__3__

Buchstabensalat

a Lesen Sie, was der österreichische Dichter Ernst Jandl schrieb:
Rinks und lechts kann man nicht velwechsern – werch ein Illtum!

b Korrigieren Sie den Satz.
Nach welchem Prinzip wurden Buchstaben verändert?

c Überlegen Sie sich einen Satz, in dem die Buchstaben *l* und *r*
vorkommen und verändern Sie ihn nach dem gleichen Prinzip.

__4__

Zungenbrecher

Sprechen Sie mehrmals hintereinander, immer schneller, möglichst
ohne Fehler zu machen:

a Blaukraut bleibt Blaukraut
und Brautkleid bleibt Brautkleid.

b Fischers Fritz fischt fleißig frische fliegende Fische,
fleißig fischt Fischers Fritz fliegenden frischen Fisch.

 __5__

r am Wortende

a Hören Sie folgenden Satz und unterstreichen Sie,
wo Sie ein *r* gehört haben. Was hört man, wenn ein *r*
am Wortende steht?
„Der Traum einiger renommierter Wissenschaftler.“

b Lesen Sie laut.

der Hörer	–	die Hörerin		der Vertreter	–	die Vertreterin
das Tier	–	die Tiere		die Feier	–	ich feiere
schwer	–	schwere				

 __6__

Unterstreichen Sie alle r-Laute in den Sätzen.

Hören Sie die Sätze und unterstreichen Sie, wo Sie ein *r* gehört haben.
Wie oft war das?

- Hier ist die Tür zur großen Halle.
- Wir gehen immer öfter in die Oper.
- Viele Zuschauer und Zuhörer warten auf den Wetterbericht.
- Vier Kinder haben vier brave Haustiere.

LEKTION 6

Lernkontrolle: Was haben Sie in diesem Kapitel gelernt?
Kreuzen Sie an!

Rubrik	Handlungen	gut	besser als vorher	möchte ich noch vertiefen
Lesen	■ Teile einer *Reportage* nach inhaltlichen und textgrammatischen Elementen zusammensetzen	☐	☐	☐
	■ selektiv Informationen aus einer *Reportage* entnehmen	☐	☐	☐
	■ inhaltliche Detailfragen zu Auszügen aus einem *Briefroman* beantworten	☐	☐	☐
	■ verschiedene Aspekte des *Briefromans* beleuchten	☐	☐	☐
Hören	■ einer *Programmvorschau* Hauptinformationen entnehmen	☐	☐	☐
	■ ein *Kurzhörspiel* in Abschnitten hören und Aufgaben zum Global- und Detailverstehen lösen	☐	☐	☐
	■ Interpretation eines *Kurzhörspiels*	☐	☐	☐
Schreiben	■ über ein Hörspiel informieren und einen Kommentar dazu verfassen	☐	☐	☐
Sprechen	■ Verschiedene Ausdrucksformen zum Sprechakt *höfliche Bitte* verwenden	☐	☐	☐
	■ über Irreales sprechen	☐	☐	☐
Wortschatz	■ Wortschatz zum Thema „Zeit"	☐	☐	☐
Grammatik	■ Formen des Konjunktivs II wiederholen und alle seine Verwendungsweisen kennen lernen und anwenden	☐	☐	☐
	■ formale Elemente von Textstrukturen wie Verweiswörter, Synonyme und Umschreibungen erkennen und anwenden	☐	☐	☐
Lerntechnik	■ die Hörstrategien globales, selektives und detailliertes Hören bestimmten Textsorten zuordnen	☐	☐	☐
	■ verschiedene Hörstrategien gezielt anwenden	☐	☐	☐

Sprechen Sie mit Ihrer Kursleiterin/Ihrem Kursleiter über das Ergebnis.
Sie/Er wird Ihnen Tipps zum Weiterlernen geben.

Verben

anschließen

anspielen auf + *Akk.*

berichten

(sich) etwas beschaffen

durchführen

drucken

erläutern

ermahnen

fassen

fliehen

flimmern

führen zu + *Dat.*

gefährden

herausfinden

löschen

nützen

schaden

sich merken

sich richten nach + *Dat.*

sich wenden an + *Akk.*

speichern

verbinden mit + *Dat.*

wahrnehmen

Nomen

der Absatz, ⸚e

die Absicht, -en

der Analphabet, -en

die Auflage, -n

der Bericht, -e

die Beute

der Bildschirm, -e

die Boulevardzeitung, -en

die Daten (Pl.)

die Datenbank, -en

das Diskettenlaufwerk, -e

die Dosis, Dosen

die Droge, -n

der Drucker, -

die Entführung, -en

der Entzug

die Ersatzwelt, -en

die Festplatte, -n

das Feuilleton, -s

der Lautsprecher, -

das Lösegeld, -er

das Medium, Medien

die Meldung, -en

der Missbrauch

die Nachricht, -en

das Programm, -e

die Publikation, -en

die Rubrik, -en

der Schaden, ⸚

die Schießerei, -en

die Schlagzeile, -n

die Schreibweise, -n

die Sendung, -en

die Spalte, -en

die Sucht, ⸚e

das Symptom, -e

der Täter, -

die Tastatur, -en

der Umgangston

die Zeitschrift, -en

der Zuschauer, -

der Zwang, ⸚e

der Zweck, -e

Adjektive/Adverbien

erneut

genial

interaktiv

seelenlos

sorgfältig

überregional

virtuell

zusätzlich

Konnektoren

anstatt

dadurch, dass

dagegen

dennoch

ehe

indem

sobald

solange

sooft

stattdessen

während

Ausdrücke

Auskunft geben über + *Akk.*

dafür sorgen, dass

ein Programm aufrufen/schließen

eine/keine wichtige Rolle spielen

zu Seite 124, 4

__1__   Sätze ergänzen → **WORTSCHATZ**

Wozu braucht man diese Teile eines Computers?

ⓐ Der Rechner ist *der eigentliche Computer*.
ⓑ Auf dem Monitor ...
ⓒ Die Tastatur dient zum ...
ⓓ Mit Hilfe der Maus ...
ⓔ Auf einer Diskette ...
ⓕ Mit einem Kabel ...
ⓖ Der Drucker ...
ⓗ Mit dem Scanner ...

zu Seite 126, 6

__2__   Werbetext → **SCHREIBEN**

ⓐ Wofür wird Ihrer Meinung nach hier geworben?
ⓑ Ergänzen Sie in der Spalte rechts einen Werbetext, der zu
diesem Produkt passt.
Ihrer Phantasie sind dabei keine Grenzen gesetzt.

Und wie kommen *Sie* ins Büro?

So einfach ist das:

Wie das funktioniert?

○ Denn ...

○ Kurz: Ganz gleich, ...

○ Informieren Sie
sich über ...

○

LEKTION 7

zu Seite 127, 7

3 Temporale Konnektoren und Präpositionen → **GRAMMATIK**
Ergänzen Sie folgende Wörter im Text.

bis – gleichzeitig – nach – vor – immer wenn – bevor – sobald – seit – bei

Das digitale Klassenzimmer –

SCHÜLER LERNEN BESSER AM COMPUTER

Kurz *vor* sieben Uhr, knapp eine Stunde .... der Unterricht beginnt, wartet Claus-Peter Ahrens bereits ungeduldig vor dem Luisen-Gymnasium im Hamburger Stadtteil Bergedorf. .... der Hausmeister die Schulpforte geöffnet hat, stürmt der Oberschüler in den Computerraum und startet hastig einen der zwölf Rechner. Die Sekunden .... der Computer hochgefahren ist, kann er kaum erwarten. Endlich erscheint auf dem Bildschirm, worauf er sich .... dem Aufstehen gefreut hat: Die neuesten Nachrichten, die Schüler aus der japanischen Hafenstadt Yokohama in die Mailbox – einen elektronischen Briefkasten – des Gymnasiums geschickt haben. Noch ....der ersten Unterrichtsstunde tippt Claus-Peter einige Antworten in den Rechner und jagt sie per Mausklick in Sekundenschnelle nach Asien. .... dem Unterricht trifft er sich mit seinen Mitschülern von der Arbeitsgemeinschaft E-Mail. .... für die Schüler Unterricht per elektronischer Kommunikation auf dem Stundenplan steht (einmal pro Woche), sind die Hamburger Gymnasiasten über ein Datennetz mit Schulen in den USA, Kanada, Japan und Singapur verbunden. .... dieser Gelegenheit diskutieren die Jugendlichen im virtuellen Klassenzimmer über Gewalt und Rassismus, schicken Aufsätze über Bevölkerungswachstum oder die Gefahr von Atomkraftwerken zu ihren Freunden ans andere Ende der Welt. „Mit dem Computer kannst du fremde Länder und Kulturen auf Knopfdruck kennen lernen," sagt Claus-Peter. Und ....verbessern die Schüler auf spielerische Weise ihre Englischkenntnisse.

zu Seite 127, 7

4 Wie bedient man einen Computer? → **GRAMMATIK/WORTSCHATZ**
Formulieren Sie Sätze und verbinden Sie sie mit Hilfe von Konnektoren
und Präpositionen.
Verwenden Sie den Wortschatz aus dem Kursbuch (Seite 124,4).

Nebensatzkonnektoren	Hauptsatzkonnektoren	Präpositionen
nachdem, bevor, bis, während, wenn, solange	danach, anschließend, und, vorher, zuvor, gleichzeitig	nach, vor, bis, während, bei

Nachdem man den Monitor, die Tastatur und den Drucker an den Rechner angeschlossen hat, schaltet man den Netzschalter ein. ...

zu Seite 127, 7

5 Abläufe beschreiben → **GRAMMATIK**
Verfassen Sie mit Hilfe der Konnektoren und Präpositionen
aus Aufgabe 4 einen Text.

a Wie setzt man eine Kaffeemaschine in Gang?
Wasser einfüllen – Filtertüte in den Filter tun – Kaffee in den Filter füllen – Knopf drücken
b Wie bereitet man eine Party vor?
Gästeliste schreiben – Gäste anrufen oder Einladungskarten verschicken –
Musik organisieren – Essen und Getränke einkaufen – Raum vorbereiten und dekorieren

LEKTION 7

zu Seite 127, 8

6 *Während, aber* oder *jedoch* → **GRAMMATIK**
Verbinden Sie die Sätze.

Beispiel:
Frau Becker versucht bei Schwierigkeiten mit dem Computer allein klarzukommen. Frau Huber holt immer gleich einen Kollegen zu Hilfe. (*während, jedoch*)

Während Frau Becker bei Schwierigkeiten mit dem Computer versucht allein klarzukommen, holt Frau Huber immer gleich einen Kollegen zu Hilfe.

Frau Becker versucht bei Schwierigkeiten mit dem Computer allein klarzukommen; Frau Huber jedoch holt immer gleich einen Kollegen zu Hilfe.

a Im Büro arbeitet Frau Becker gern am Computer. Zu Hause liest sie lieber oder macht Gartenarbeit. (*aber, während*)

b Ihr Mann lässt sich von ihr zu Hause bedienen. Die Kinder helfen im Haushalt fleißig mit. (*jedoch, aber*)

c Sie träumt von einer dreimonatigen Weltreise. Ihre Familie möchte im Urlaub lieber nach Österreich fahren. (*während, jedoch*)

zu Seite 127, 9

7 Wie kann man ...? → **GRAMMATIK**

a ... jemandem etwas mitteilen, der 3000 km entfernt ist?	*indem man einen Brief schreibt* *indem man ein E-mail schickt* *durch ein Fax* *dadurch, dass man ihn kurz anruft*
b ... sich über das Weltgeschehen informieren?	
c ... in den Medien bekannt werden?	
d ... lernen, mit einem Computer umzugehen?	
e ... die Telefonnummer von jemandem herausfinden?	

zu Seite 128, 1

8 Gesundheit und Krankheit → **WORTSCHATZ**
Ergänzen Sie die Lücken.

a Frau Sievers war jahrelang immer **gesund**, bis sie plötzlich an Asthma ....

b Die Einnahme von zu vielen Medikamenten **nützt** meist nicht viel, sondern .... dem Körper nur.

c Jede Art von **Sucht** ist eine Krankheit, die nur sehr schwer zu .... ist.

d Wer nicht mehr **vernünftig und frei** entscheiden kann, ob er zum Beispiel ein Glas Bier trinken will, sondern es einfach tun muss, ist von seiner „Droge" ....

e Wenn man ein Fahrzeug mit defekten Bremsen fährt, ist das nicht nur ein Risiko für die eigene **Sicherheit**, sondern man .... auch andere.

LEKTION 7

zu Seite 128, 1

__9__ Bedeutung erklären → **WORTSCHATZ**
Erklären Sie die Adjektive.

a Wenn jemand **drogenabhängig** ist, *kann er nicht ohne Drogen leben.*
b Wenn etwas **gesundheitsschädlich** ist, …
c Wenn etwas **lebensgefährlich** ist, …
d Wenn jemand **alkoholsüchtig** ist, …
e Wenn jemand **kerngesund** ist, …

zu Seite 128, 3

__10__ Welches Wort passt? → **WORTSCHATZ**
Lesen Sie den Text und wählen Sie pro Lücke ein Wort aus dem Kasten
unten.

Gefahren durch exzessive Mediennutzung

*D*ie exzessive Nutzung der Medien wird häufig auch als Fernsehsucht (1) *bezeichnet*.
Wer „fernsehsüchtig" ist, setzt sich bewusst der Überfülle des Medienangebots aus und
schafft sich eine (2) _____ . Nach Angaben des Süddeutschen Rundfunks sind in
Deutschland mehr als ein Viertel aller Zuschauer ab 14 Jahren, die täglich drei und mehr
Stunden fernsehen, als (3) „_____" zu bezeichnen. Laut einer Studie sind Vielseher
ängstlicher als Wenigseher, unabhängig davon, ob es sich um Erwachsene oder um Kinder
(4) _____ . Menschen, die im Fernsehen ständig ähnliche Verhaltensmuster
angeboten bekommen, sind ärmer an Phantasie und auch stärker von konventionellen
Stereotypen (5) _____ .

*U*ntersuchungen bei Schülern haben gezeigt, dass der Umfang der Mediennutzung sozial-
strukturell bedingt ist. Je höher die soziale Schicht, desto (6) _____ der
Fernsehkonsum. Die Menge des Fernsehkonsums steht im Zusammenhang mit der Fähigkeit der Familie, ihre Probleme in Gesprächen und gemeinsamen Handlungen (7) _____
_____ . Wird das Fernsehen in dem Sinne als Erziehungsmittel eingesetzt, dass man
mit ihm belohnen oder bestrafen kann, so führt das bei Kindern zu einem höheren Fernsehkonsum; aus (8) _____ an elterlicher Liebe und Zuwendung sitzen die Kinder
länger vor dem Bildschirm. Es besteht sogar ein direkter (9) _____ zwischen
Verhaltensstörungen bei Kindern und ausgedehntem Fernsehkonsum.

	A	B	C	D
(1)	aufgezeichnet	bezeichnet	gezeichnet	verzeichnet
(2)	Zusatzwelt	Umwelt	Ersatzwelt	Kinderwelt
(3)	Vielseher	Zuseher	Anseher	Zuschauer
(4)	zählt	zeigt	handelt	abspielt
(5)	erfahren	geprägt	erzogen	erfüllt
(6)	spannender	mehr	geringer	schlechter
(7)	anzuspielen	zu vergessen	zu verdrängen	zu lösen
(8)	Mangel	Überfluss	Zuviel	Fehlen
(9)	Verhältnis	Zwischenfall	Zusammenhang	Unterschied

zu Seite 129, 5

__11__ Schaubild → **SCHREIBEN**

Schreiben Sie einen zusammenhängenden Text.

Dieses Schaubild informiert (gibt Auskunft) über ...
Hier erfährt man, wie ...
Aus der Graphik ist zu entnehmen, ...
Hier wird in folgende Kategorien unterteilt: Einerseits ...,
andererseits ...
Am teuersten ist das Telefonieren ...
Besonders günstig sind jetzt ...

Billiger telefonieren

Anschluß und Grundgebühr +0,8%
Veränderung der Preise für Telefondienstleistungen Februar 1999 gegenüber Februar 1998 in %

Ortsgespräche +/-0

-11,5 *insgesamt*

-13,8 Auslandsgespräche

-21,5 Mobiltelefon

Ferngespräche -35,4

5448 © Globus   Quelle: Stat. Bundesamt

zu Seite 132, 3

__12__ Textpuzzle → **LESEN**

Setzen Sie die Sätze 1-4 in die markierten Stellen A-D im Text ein!

Schreib doch mal „Verkehr"

Eine Frau steht in einem Schulzimmer der Volkshochschule Münster und grübelt lange hin und her. In der rechten Hand hält Karin R. unbeholfen ein kleines Stück Kreide. Dann setzt sie an und schreibt in tapsigen Bögen „Fkr" an die große Schultafel vor ihr.

A

Ruhig und geduldig wiederholt er, worum er seine Schülerin vor drei Minuten gebeten hatte: Schreib doch mal das Wort „Verkehr". Dabei „singt" er ihr mehrmals überdeutlich die Silben vor. Und siehe da:

B

Die sich da so schwer tut mit den Buchstaben ist Analphabetin. Noch vor kurzem konnte sie so gut wie gar nichts lesen und schreiben. Doch jetzt, nachdem sie seit einem guten halben Jahr bei Hubertus im Kurs zweimal wöchentlich an ihrem Problem arbeitet, ist das nicht mehr ganz so.

C

Analphabeten - in Deutschland ein Tabu-Thema. Auch wenn Vertreter der Bonner Regierung „das hohe Bildungsniveau in der Bundesrepublik" preisen:

D

Von bis zu vier Millionen wurde in der Presse schon spekuliert, das wären dann etwa genauso viele wie Inline-Skater.

1 Besonders beim Vorlesen, das sich so anhört wie der Leseversuch eines fortgeschrittenen Erstklässlers, zeigt Karin, dass sie schon viel gelernt hat.

2 Kaum ist die Kreide abgesetzt, wandern ihre Augen fragend zu Peter Hubertus, der sich seit Jahren für Analphabeten engagiert und ihren Schreib- und Lesekurs leitet.

3 Erwachsene, die keinen Wegweiser, keinen Zugfahrplan und keinen Strafzettel entziffern können, gibt es immerhin noch viel zu viele.

4 Beim zweiten Versuch klappt es besser, da bringt diese erwachsene Frau immerhin schon ein „Ferker" zustande.

aus: ADAC-Motorwelt 11/96

zu Seite 134, 5

__13__ Aus der deutschsprachigen Presse → **SCHREIBEN**

Welche deutschsprachigen Zeitungen oder Zeitschriften empfehlen Sie einer Freundin in Ihrem Heimatland, die am aktuellen Geschehen im deutschsprachigen Raum sehr interessiert ist?

Schreiben Sie einen Brief und erklären Sie darin,

- was für eine Publikation Sie ihm/ihr vorschlagen.
- um was für eine Art von Zeitung/Zeitschrift es sich dabei handelt.
- warum Sie diese Zeitung/Zeitschrift gerne lesen und empfehlen.
- welche Alternative Sie noch nennen können.

Achten Sie auf die formalen Bestandteile eines persönlichen Briefs, besonders bei Datum, Anrede und Gruß.

zu Seite 136, 3

__14__ Kurzporträt: Jan Philipp Reemtsma → LESEN
Ordnen Sie die Ereignisse chronologisch und suchen Sie aus dem Text
die dazu passenden Jahreszahlen heraus.

Jahr	Reihenfolge	Ereignis
		Tod des Vaters
		Gründung einer Literaturstiftung
		Geburt Jan Philipp Reemtsmas
		Verkauf des Konzerns
1910	1	Gründung einer Zigarettenfabrik durch den Vater
		Einrichtung eines Instituts für Sozialforschung
		freie Verfügung über das Erbe

Millionenschwerer Mäzen

Jan Philipp Reemtsma wurde am 26. November 1952 als Sohn von Fürchtegott Reemtsma in Hamburg geboren. Sein Vater gründete 1910 in Erfurt eine Zigarettenfabrik, die zum größten Tabakkonzern Deutschlands aufstieg. Reemtsma wuchs im Hamburger Villenviertel Blankenese auf. Sein Vater starb 1959, das Vermögen wurde zunächst treuhänderisch verwaltet. Ab seinem 26. Geburtstag stand Jan Philipp Reemtsma das Riesenerbe frei zur Verfügung. Reemtsma studierte Literaturwissenschaft und Philosophie, promovierte. 1980 wurde er in den Aufsichtsrat des Konzerns berufen, doch wenig später verkaufte er das Allein-Erbe: Für 300 Millionen Mark an die Tschibo-Familie Herz.

Jan Philipp Reemtsma – ein Forscher, Mäzen und Menschenfreund. Dem verarmten Autor Arno Schmidt griff er mit 350 000 DM unter die Arme. 1981 gründete er die Arno-Schmidt-Stiftung, deren Vorsitzender er ist. Unter anderem stiftet er jährlich den Arno-Schmidt-Literaturpreis. 1984 wurde das „Hamburger Institut für Sozialforschung" von ihm eingerichtet.

zu Seite 136, 6

__15__ Indirekte und wörtliche Rede → GRAMMATIK

a Unterstreichen Sie in dem Zeitungsartikel alle Formen der indirekten Rede. Welche stehen im Konjunktiv I, welche im Konjunktiv II?

Schweizer Dorf sucht Kinder per Zeitungsanzeige

Walliser Gemeinde Binn will Schulschließung verhindern – Job-Angebote für die Eltern

ZÜRICH, 14. Dezember - Wenn die Einwohner des kleinen Schweizer Bergdorfes Binn in der Kirche „Ihr Kinderlein kommet" singen, dann meinen sie das auch. Denn die Zahl der Kinder nimmt dort immer mehr ab. Um diese Entwicklung zu stoppen, griffen die Behörden des 160-Seelen-Dorfes zu einem ungewöhnlichen Mittel. Sie setzten in allen Landesteilen eine Anzeige in verschiedene Zeitungen: Binn suche „eine oder mehrere Familien" mit volksschulpflichtigen Kindern, heißt es darin, sonst müsse die Schule geschlossen werden. Interessierte erhielten von der Kommune in der Touristenregion Goms dafür günstige Wohnungen und einige Teilzeitstellen. Man könne beispielsweise das Verkehrsbüro des Dorfes in einer unberührten geschützten Berglandschaft leiten oder im Hotel „Ofenhorn" arbeiten.

Diese Anzeigen seien schon eine ungewöhnliche Art, „zu Kindern zu kommen", räumt Beat Tenisch, Vorsteher der Kommune, ein. Doch schließlich gehe es um die Erhaltung der Volksschule. Wenn Binn nicht schnell noch mindestens ein Kind für die erforderlichen sieben Schüler finde, werde die Schule vom Staat aufgegeben.

Doch die junge Generation des Dorfes sei meist noch unschlüssig in Sachen Familienplanung, sagt der 44-jährige Gemeindepräsident, und die Frauen wollten eben möglichst lang berufstätig sein. Doch er ist guten Mutes, denn er hat einige Anfragen erhalten.

LEKTION 7

b Wer oder was wird hier zitiert? Formulieren Sie die Textstellen in der direkten Rede.

In der _____ steht: Binn sucht eine oder mehrere Familien mit schulpflichtigen Kindern. ...

Der _____ räumt ein: Diese Anzeigen sind schon eine ungewöhnliche Art, ...

zu Seite 136, 6

16 Indirekte Rede → GRAMMATIK

a Gegenwart

Formen Sie die Sätze unten in die indirekte Rede um. Wählen Sie die passende Verbform im Konjunktiv I oder II.

Beispiele:
Er merkt sich den Satz. – Er sagt, er merke sich den Satz.
Wir schaden unserer Gesundheit. – Sie meint, wir schadeten unserer Gesundheit (wir würden unserer Gesundheit schaden).

1 Sie legt die Diskette ein. *Sie sagt, ...*
2 Das führt zu großen Problemen.
3 Du nimmst die Realität nicht wahr.
4 Die Schreibweise ist neu.
5 Ich weiß nichts davon.
6 Ihr habt die Zeitschrift zu Hause.
7 Wir müssen den Text ausdrucken.
8 Die Schlagzeilen bringen den Politiker in Schwierigkeiten.
9 Er gibt sich Mühe, alles richtig zu machen.
10 Ich will den Computer mit dem Lautsprecher verbinden.
11 Die Informationen werden auf der Festplatte gespeichert.

b Vergangenheit

Formen Sie die Sätze in die indirekte Rede um. Wählen Sie die passende Verbform im Konjunktiv I oder II.

Beispiel:
Du hast die Zeitschrift probeweise bestellt. – Aber du hast doch gesagt, du hättest die Zeitschrift probeweise bestellt.

1 Wir haben die Meldung sofort erhalten. *Er meinte, ...*
2 Die Nachricht flimmerte auch über den Bildschirm.
3 Ich kannte die entführte Millionärin persönlich.
4 Sie ist früher einmal zu uns nach Hause gekommen.
5 Der Kommissar dachte erneut über das Verbrechen nach.
6 Er konnte sich die Tat nicht erklären.

zu Seite 136, 6

17 Was man in einem Computerkurs alles erlebt → GRAMMATIK

Geben Sie folgende Schilderung eines Computerkursteilnehmers wieder. Da Sie den Kurs nicht miterlebt haben, referieren Sie in der indirekten Rede. Achten Sie dabei auf die Zeit.

Beispiel:
Mein Nachbar, Niko Schramm, erzählte mir gestern: Im vergangenen Monat fand ein toller EDV-Kurs für Fortgeschrittene statt.
Mein Nachbar, Niko Schramm, erzählte mir gestern, im vergangenen Monat habe ein toller EDV-Kurs stattgefunden.

ⓐ Der Lehrer erklärte uns das neue Computerprogramm sehr ausführlich. *Der Lehrer ...*

ⓑ Immer wieder wandten wir uns mit schwierigen Fragen an ihn.

ⓒ Aber alle Fragen wurden detailliert beantwortet.

ⓓ Wir Teilnehmer mussten aber auch versuchen, uns gegenseitig zu helfen.

ⓔ Es hat sich natürlich schnell herumgesprochen, wie viel man in diesem Kurs lernen kann.

ⓕ Aufgrund der großen Nachfrage wird der Kurs im nächsten Monat wiederholt.

zu Seite 136, 6

__18__   Vom Interview zum Bericht → **LESEN/GRAMMATIK**

ⓐ Lesen Sie das Interview der Süddeutschen Zeitung (SZ) mit Peter Glaser, Schriftsteller und Computerexperte. Unterstreichen Sie die Schlüsselwörter.

Interview zum Thema Internet

SZ: Wozu brauchen wir das Internet überhaupt?

Glaser: Das weiß keiner, das ist ja das Spannende. Mit dem Internet hat der Mensch wieder etwas hergestellt, das er nicht versteht, aber verstehen will.

SZ: Stürzt sich die Menschheit nicht auch deshalb ins Netz, weil sie nach einer neuen Utopie sucht?

Glaser: Natürlich ist das auch ein Grund. Ich vergleiche die momentane Netzeuphorie mit der ersten Mondlandung. Niemand konnte rational erklären, warum so viele Milliarden Dollar ausgegeben wurden, um drei Männer auf den Mond zu schießen. Mit dem Erreichen des Ziels war die Euphorie dann schnell verschwunden.

SZ: Die Aufregung um das Internet wird sich also bald wieder legen?

Glaser: Da bin ich ziemlich sicher und ich hoffe es auch. Bei der Einführung des PCs war auch die Rede von der "größten Revolution seit Gutenbergs Buchdruck". Heute ist der Computer schon fast so normal wie ein Bügeleisen und die Leute fangen an, damit ruhiger und selbstverständlicher umzugehen.

SZ: Aber das Internet verändert unsere Welt doch auch.

Glaser: Das kann man wohl sagen. Ich lernte meine Frau schließlich im Netz kennen. Aber andererseits gab es eine Art von Vernetzung schon vor 5000 Jahren bei den Bewässerungssystemen der Assy-

rer und Ägypter. Aus ihren Organisationen gingen später die ersten Staatsformen hervor. Netzstrukturen hatten schon immer soziale Auswirkungen.

SZ: Ein großes Problem im immer größer werdenden Internet ist wohl: Wie trenne ich nützliche von unnützen Informationen?

Glaser: Journalistische Qualitäten werden gefragter sein denn je. Das Printmedium wird niemals untergehen, sondern sich durch die elektronischen Medien erst richtig entfalten. Auch Bücher sind immer noch sehr praktisch. Außerdem: Kein Bildschirm kann jemals mit der Ästhetik einer schönen Buchseite konkurrieren.

ⓑ Geben Sie das Interview als Bericht in der indirekten Rede wieder. Wählen Sie zur Redeeinleitung aus folgenden Verben aus:

sich informieren – die Frage stellen, ob (wie usw.) – wissen wollen – erklären – meinen – einwenden – antworten – erläutern – betonen – hinzufügen – unterstreichen

Beispiel:
In einem Interview mit dem Schriftsteller und Computerexperten Peter Glaser wollte die SZ wissen, wozu man das Internet überhaupt brauche. Herr Glaser meinte, das wisse keiner, das sei ja das Spannende. Mit dem Internet habe ...

LEKTION 7

zu Seite 136, 7

19 Wozu braucht man ...? → GRAMMATIK

Antworten Sie in Sätzen mit *um ... zu, damit,* und *zu* + Dat.

... Literatur?	*zur Unterhaltung* *um sich zu bilden* *damit man mitreden kann*
... die Sonne?	
... die Zeitung?	
... einen Staat?	
... Geld?	
... Kinder?	
... Männer?	
... Frauen?	

zu Seite 137, 9

20 Konnektoren und Präpositionen → GRAMMATIK

Verbinden Sie jeweils zwei Sätze mit den Konnektoren in Klammern.

a Die Entführer hielten Reemtsma einen Monat in einem Keller gefangen.
Nach seiner Freilassung war er in einer guten körperlichen und geistigen Verfassung.
(*obwohl, trotz, dennoch*)
Obwohl die Entführer Reemtsma einen Monat in einem Keller gefangen hielten,
war er nach seiner Freilassung in einer guten körperlichen und geistigen Verfassung.
Trotz der langen Gefangenschaft war er nach seiner Freilassung ...

b Die Familie des Entführten bezahlte über 30 Millionen Mark Lösegeld.
Sie wollte Jan Philipp Reemtsma befreien. (*um zu, damit < Passiv + freilassen >*)

c Zwei der Täter wurden inzwischen gefasst. Der Kopf der Bande und ein Großteil
des Geldes bleiben weiterhin verschwunden. (*aber, während, dagegen*)

d Die Kidnapper werden nun lange im Gefängnis sitzen. Sie würden sicher lieber
ein luxuriöses Leben mit dem Lösegeld führen. (*anstatt zu, stattdessen*)

zu Seite 137, 9

21 Medienkonsum → GRAMMATIK

Ergänzen Sie den zweiten Satzteil.

a Viele Leute sind schlecht informiert, *obwohl* ...
b *Während* manche täglich mehrere Zeitungen lesen, ...
c *Anstatt* jeden Abend fernzusehen, ...
d Man kann auch eine schöne Zeit haben, *indem* ...
e Manche Leute benutzen einen Computer, *um* ... (*zu*)
f Viele Menschen sitzen den ganzen Tag vor dem Fernseher, *ohne* ... (*zu*)

zu Seite 138, 4

22 Nachrichten → **WORTSCHATZ**

Ergänzen Sie die Verben.

> unterzeichnen – sich ... anschließen – streichen – verbindlich sein –
> in Kraft treten – die Unterschrift setzen – gelten

WIEN: Nach mehr als 10 Jahren Vorbereitung kann die Refom der deutschen Rechtschreibung nun .... Vertreter Deutschlands, Österreichs, der Schweiz und Liechtensteins .... in Wien eine entsprechende Erklärung. Auch Repräsentanten der deutschen Minderheiten in Südtirol, Belgien, Ungarn und Rumänien .... unter das Reformpaket. Später wollen auch Frankreich, Dänemark und Luxemburg .... dem Vertrag .... Von den 212 Paragraphen zur korrekten Schreibweise bleiben künftig nur noch 112 übrig. Allein von den 52 Kommaregeln werden 43 .... Die neuen Regeln .... spätestens ab Sommer 1998. In den meisten Schulen wird mit der Umstellung auf die neue Schreibweise aber bereits mit Beginn des neuen Schuljahrs in diesem Herbst begonnen. Ab dem Jahr 2005 soll die neue Orthographie dann ....

zu Seite 138, 4

23 Schtonk → **LESEN**

Lesen Sie die Zusammenfassung des Films „Schtonk"
und notieren Sie die beiden Hauptinformationen.
Was war der sensationelle Fund? ....
Was war der große Schwindel dabei? ....

SCHTONK

REGIE HELMUT DIETL

Schon als Kind entdeckt Knobel, wie leicht es ist, gute Geschäfte zu machen: Im zerbombten Berlin dreht er amerikanischen Soldaten dies und das an - aus „Führers" Besitz, versteht sich! Aus dem kleinen Schwindler wird ein großer: ein Antiquitätenhändler, der alles fälscht und verkauft, Gemälde von Toulouse-Lautrec bis Adolf Hitler. Da ist auch das Tagebuch des „Führers" schnell geschrieben. Und der Zufall will, dass Knobel ausgerechnet dem heruntergekommenen Reporter Willié begegnet, der in dem Hitler-Tagebuch das große Geschäft wittert. Auch für Knobel soll die Kasse klingeln, wenn er noch mehr Bändchen von den Memoiren auftreibt. Williés Rechnung geht auf. In der Chefetage der „HH-press" stockt den Herausgebern der Atem angesichts dieses sensationellen Fundes. Willié kommt ganz groß raus, bis der Riesenschwindel auffliegt ...

LEKTION 7 – *Aussprachetraining*

 1 **Wortpaare *f* und *v***

ⓐ Hören Sie die Wortpaare zuerst einmal ganz.
ⓑ Hören Sie noch einmal und sprechen Sie nach.

Fernsehen	–	verstehen
Forschung	–	Vorteil
Fahrt	–	Vater
für	–	vor
Fehler	–	Verbreitung

 2 **Wortpaare *v* und *w***

ⓐ Hören Sie die Wortpaare zuerst einmal ganz.
ⓑ Hören Sie noch einmal und sprechen Sie nach.

Video	Wissenschaft
Wolle	Volontär
Vase	Wasser
November	verwenden
Wahrheit	Variante

ⓒ Sehen Sie sich noch einmal die Beispiele von Aufgabe 1 und 2 an. Können Sie eine Regel erkennen? Wann spricht man *v* wie *f*, wann spricht man *v* wie *w*?

 3 **Wie viele falsche Vasen?**
Lesen Sie die Sätze und hören Sie sie anschließend.

- Wie viele wertvolle Vasen fanden die Verbrecher in dem Versteck?
- Fünfzig Euro will Valerie von ihrem Vater!
- Zu viel Fernsehen und Video führen zur Verbreitung von funktionalem Analphabetismus!
- Die Entführer wollten Fehler vermeiden.
- Wählen Sie eine der fünfundvierzig Varianten!

 4 **Durch die Nase! – *ng* und *nk***
Hören Sie den Unterschied und sprechen Sie nach.

Singen	–	sinken
lang	–	schlank
Kranke	–	Stange
Enkel	–	Mängel
Zangen	–	zanken
Unken	–	Zungen

5 Der Onkel singt, die Zange sinkt.

Lesen Sie die folgenden Sätze laut.

- Der Onkel singt, die Zange sinkt.
- Dank der langen Leitung.
- Manche Dinge machen krank und abhängig.
- Der Engel lenkt, der Enkel schenkt.

6 Diktat

Diktieren Sie Ihrer Nachbarin/Ihrem Nachbarn
Teil **a** oder Teil **b** der Übung.
Wer das Diktat hört und schreibt, schließt sein Buch.

a Wenn Sie den Videofilm vorbestellen wollen, wenden Sie sich an
Frau Fluster.
Die Enkel sehen auf den Fotos aus wie wahre Engel,
aber sie haben Vaters venezianische Vase zerbrochen.

b Der Vogel war lange krank. Jetzt singt er wieder, Gott sei Dank.
Wer Variation sucht, greift zur Zeitung: Vom Feuilleton bis
zum Wetterbericht findet man fast alles.

LEKTION 7

Lernkontrolle: Was haben Sie in diesem Kapitel gelernt?
Kreuzen Sie an.

Rubrik	Handlungen	gut	besser als vorher	möchte ich noch vertiefen
Lesen	Einzelheiten aus einem *Bericht* entnehmen und Standpunkte erfassen	☐	☐	☐
	Aussagen einer *Glosse* rekonstruieren	☐	☐	☐
	Stilmerkmale von *Zeitungsberichten* vergleichen	☐	☐	☐
Hören	Haupt- und Detailinformationen aus einem *Radiobeitrag* entnehmen	☐	☐	☐
	Haupt- und Detailinformationen aus *Radionachrichten* entnehmen	☐	☐	☐
Schreiben	in einem persönlichen Brief etwas erörtern und beurteilen	☐	☐	☐
	Ideen für eine Kurszeitung sammeln und verschiedene Arten von Zeitungsartikeln verfassen	☐	☐	☐
Sprechen	Vermutungen anstellen und mit statistischen Informationen vergleichen	☐	☐	☐
	Probleme nennen, Vorschläge machen und auf den Gesprächspartner eingehen	☐	☐	☐
	über die Presselandschaft referieren	☐	☐	☐
Wortschatz	Wortschatz zum Thema „Computer" und „neue Medien"	☐	☐	☐
	Wortschatz zum Thema „Medienverhalten" und „Krankheit"	☐	☐	☐
Grammatik	temporale, finale, konzessive und modale Konnektoren und Präpositionen	☐	☐	☐
	Indirekte Rede: Formen und Funktion	☐	☐	☐
Lerntechnik	die eigenen Stärken und Schwächen beim freien Sprechen herausfinden	☐	☐	☐
	Verbesserung der Ausdrucksfähigkeit beim Sprechen	☐	☐	☐

Sprechen Sie mit Ihrer Kursleiterin/Ihrem Kursleiter über das Ergebnis.
Sie/Er wird Ihnen Tipps zum Weiterlernen geben.

LEKTION 8 – *Lernwortschatz*

Verben

abrechnen
abschaffen
aufladen
eilen
einbauen
einbiegen
einsetzen
erhöhen
gleiten
hüpfen
klettern
krabbeln
liefern
nachrüsten
orten
rutschen
schlendern
senken um + *Akk.*
sich vermehren
sinken von + *Dat.* um/auf + *Akk.*
stagnieren
steigen von + *Dat.* um/auf + *Akk.*
steigern von + *Dat.* um/auf + *Akk.*
übertreffen
umsteigen auf + *Akk.*
vernachlässigen
versinken
wahrnehmen

die Einbuße, -n
der Einzelhandel
das Exemplar, -e
die Flaute, -n
die Fortbewegung
die Funktionsweise, -n
die Geschwindigkeit, -en
das Gewissen
der Hersteller, -
der Individualverkehr
der Käfer, -
der Kofferraum, ¨e
der Massenverkehr
die Mobilität
die Nachfrage, –n
der Naturschutz
das Navigationssystem, -e
die Reichweite, -n
das Schaubild, -er
die Schwebebahn, -en
die Spur, -en
der Umsatz, ¨e
die Umwelt
der Verbrauch
der Verbraucher, -
das Wachstum
die Wartung
der Weltraum

Ausdrücke

Aufmerksamkeit erregen
einen Fuß vor den anderen setzen
einen Rekord einstellen
in Sicht sein
Schaden anrichten
über den eigenen Schatten
  springen
zu etwas Stellung nehmen

Nomen

der Abnehmer, -
der Absatz, ¨e
der Anstieg
der Antrieb
der Aufschwung, ¨e
die Ausstattung, –en
der Beifahrer, -
die Beifahrerin, -nen
die Beruhigung
das Blech, -e
der Einbruch, ¨e

Adjektive/Adverbien

beliebt
digital
gehoben
gespalten
hervorragend
innerdeutsch
nachträglich
preisgünstig
raffiniert
überflüssig
unendlich

zu Seite 147, 9

__1__ Passiv → **GRAMMATIK**

Formulieren Sie folgende Sätze ins Passiv um.

---

a Eine bekannte Firma bietet jetzt ein ganz besonderes Auto an.

b Den neuen Typ produziert man bereits serienmäßig.

c Er kann verschiedene Funktionen gleichzeitig ausführen.

d Während der Bordcomputer den Fahrer über einen Lautsprecher zum Ziel bringt, serviert der eingebaute Roboter einen alkoholfreien Cocktail.

e Außerdem zeigt man den Insassen auf Wunsch jeden beliebigen Film.

f Diese Extraleistungen muss man allerdings noch sehr teuer bezahlen.

g Alles in allem liefert man die Luxuslimousine für über 50 000 Euro aus.

a Von einer bekannten Firma wird jetzt ein ganz besonderes Auto angeboten.

---

zu Seite 147, 9

__2__ Passivformen → **GRAMMATIK**

Welche der Formen in der rechten Spalte braucht man, um einen korrekten Passivsatz zu bilden? Streichen Sie alle nicht passenden Formen.

Der VW-Käfer – ein Dauerbrenner!

a	Der VW-Käfer ist weltweit bekannt und viele Menschen wissen sogar, dass dieses Modell von Ferdinand Porsche	~~entwickeln~~ entwickelt ~~zu entwickelt~~	worden ~~werden~~ ~~geworden~~	~~ist.~~ ~~wäre.~~ ~~zu sein.~~
b	Sogar die Bezeichnung *Käfer*, eine Anspielung auf das käferförmige Aussehen des Wagens, ist in viele Sprachen	übersetzt übersetzen übergesetzt	wurde. geworden. worden.	
c	Dieses Auto war so beliebt, dass Ende der 60er Jahre jährlich circa 1 000 000 Exemplare	verkauft zu verkaufen verkaufen	worden werden geworden	sein. war. konnten.
d	Doch Ende der 70er Jahre musste die Produktion in Europa	einzustellen einstellen eingestellt	werden. wurden. worden.	
e	VW hatte beschlossen, dass der Käfer nur noch in Mexiko	hergestellt herzustellen	wird. wurde.	
f	Weil die Technik des Käfers inzwischen veraltet war, hat man ein brandneues Modell entwickelt, das schon in Kürze	anbieten angeboten bietet an	werden worden geworden	ist. hat. soll.
g	Man schätzt bei VW, dass über die Hälfte der jährlich geplanten 100 000 Exemplare in den USA	abzusetzen absetzten abgesetzt	worden. werden. wurden.	

LEKTION 8

zu Seite 147, 9

3 Vorgangs- oder Zustandspassiv? → GRAMMATIK
Setzen Sie die passenden Formen der Verben *werden* oder *sein* ein.

ⓐ Seit wann _ist_ der Wagen eigentlich repariert? Ich wusste gar nicht, dass er in die Werkstatt gebracht _worden ist_ .

ⓑ Das ist heute Morgen gemacht .... Weißt du, dass auch der linke Scheinwerfer eingedrückt war? Der musste ausgetauscht .... Der Spaß kostet uns 300 €!

ⓒ .... die Rechnung schon bezahlt oder muss das Geld noch überwiesen .... ?

ⓓ Das .... natürlich alles schon erledigt. Der Wagen .... erst übergeben, wenn das Finanzielle geregelt ....

ⓔ Vielleicht sollten wir unseren Wagen jetzt verkaufen! An welchem Wochentag .... denn Autos in der Zeitung inseriert?

ⓕ Ich glaube mittwochs und samstags. Jetzt ist Dienstagnachmittag. Da .... die Anzeigenannahme für morgen schon geschlossen. Aber am Wochenende .... die Zeitung sowieso von mehr Leuten gelesen.

zu Seite 147, 9

4 Aus Aktiv- werden Passivsätze → GRAMMATIK
Ersetzen Sie die fett gedruckten Ausdrücke durch ein Zustandspassiv.

ausrüsten – verkaufen – herabsetzen – verarbeiten – planen – einbauen

ⓐ Die Preise für den neuen Autotyp **sind deutlich niedriger.**
Die Preise für das neue Modell sind deutlich herabgesetzt.
ⓑ Einige Modelle **haben** schon einen elektronischen Beifahrer.
ⓒ Außerdem **hat** man bei der Innenausstattung auf eine **bessere Verarbeitung geachtet.**
ⓓ Bei allen Modellen **gibt es** eine Diebstahlsicherung.
ⓔ Die ersten 10 000 Stück **sind** schon **weg.**
ⓕ In den nächsten Jahren **will** der Konzern ein Öko-Auto **entwickeln.**

zu Seite 148, 3

5 Verben der Fortbewegung → WORTSCHATZ
Setzen Sie die Verben in den Text ein.

rasen – hüpfen – klettern – rennen – ausrutschen – schlendern – schweben – einen Fuß vor den anderen setzen – kriechen – gleiten

ⓐ Wenn jemand vor Glück alles um sich herum vergisst, sagt man : Der _schwebt_ im siebten Himmel.
ⓑ Elsa hat sich beim Tennisspielen am linken Fuß verletzt. Jetzt kann sie nicht mehr auftreten und muss auf dem rechten Bein ....
ⓒ Als das Tauwetter anfing und der Regen auf der Straße fror, sind alle furchtbar ....
ⓓ Einige hatten Angst davor hinzufallen und .... auf allen vieren auf dem Boden.
ⓔ Hier ist keine Öffnung im Zaun, wir können nur hinüber ....
ⓕ Das Geschäft schließt in fünf Minuten. Wenn du noch was einkaufen willst, musst du aber ....
ⓖ Wir .... ganz gemütlich durch die Innenstadt, als plötzlich ein Polizeiwagen mit Blaulicht auf uns zu ....
ⓗ Hubert kam sehr spät nach Hause und wollte nicht, dass seine Frau ihn hört. Vorsichtig öffnete er die Tür und leise .... er ....
ⓘ Wer gut Schlittschuhlaufen kann, ... elegant übers Eis.

LEKTION 8

zu Seite 149, 5

6   Individualverkehr → WORTSCHATZ

Ordnen Sie den abgebildeten Verkehrsmitteln folgende Begriffe zu.
Manche passen auch zu beiden.

A

B

- **a** die Klingel
- **b** der Scheibenwischer
- **c** der Kofferraum
- **d** das Schutzblech
- **e** der Dynamo
- **f** der Sattel
- **g** die Gabel

- **h** die Pedale
- **i** die Stoßstange
- **j** der Blinker
- **k** das Lenkrad
- **l** die Kette
- **m** die Windschutzscheibe
- **n** der Vorderreifen

- **o** das Rücklicht
- **p** der Scheinwerfer
- **q** das Nummernschild
- **r** der Rücksitz
- **s** die Speiche

zu Seite 149, 5

7   Ein Fahrzeug benutzen → WORTSCHATZ

a Ordnen Sie die folgenden Tätigkeiten den vier „Fahrzeugen" zu. Achten
Sie auch auf die richtige Reihenfolge: Was müssen Sie zuerst tun, um
das „Fahrzeug" zu benutzen, was dann?

Tätigkeiten: den ersten Gang einlegen - bremsen - aufsteigen -
sich anschnallen - in die Pedale treten - schalten - einsteigen - in den
Rückspiegel schauen - den Ständer einklappen - Handschuhe anziehen
- den Zündschlüssel umdrehen - die Kupplung langsam kommen lassen
- die Schuhe anziehen - Knieschoner anlegen - die Kupplung treten -
Gas geben - die Schnallen einstellen - einen Helm aufsetzen - den
Blinker betätigen - einen ebenen Weg aussuchen - in höhere Gänge
schalten - das Schloss öffnen und abnehmen - das Gleichgewicht halten - gleichmäßige Schritte machen - Hindernisse umfahren

Fahrrad	Auto	Motorrad	Rollschuhe
	einsteigen		*die Schuhe anziehen*
	den ersten Gang einlegen		

LEKTION 8

b Erklären Sie mit Hilfe der Stichwörter, wie Sie eins der „Fahrzeuge"
benutzen. Beginnen Sie so:
Wenn ich Fahrrad fahren will, muss ich zunächst ... Anschließend ...

zu Seite 151, 5

__8__ **Alternative Formen zum Passiv** → GRAMMATIK
Setzen Sie folgende Sätze ins Passiv und in die möglichen alternativen
Formen.

Beispiel:
Man kann den Spareffekt am Benzinverbrauch ablesen.
Der Spareffekt <u>kann</u> am Benzinverbrauch <u>abgelesen werden</u>.
Der Spareffekt <u>lässt sich</u> am Benzinverbrauch <u>ablesen</u>.
Der Spareffekt <u>ist</u> am Benzinverbrauch <u>abzulesen</u>.
Der Spareffekt <u>ist</u> am Benzinverbrauch <u>ablesbar</u>.

a Einige neue Entwicklungen kann man kaum bezahlen.
b Die Vielzahl der Produkte kann man nicht überschauen.
c Manche Erfindungen kann man nicht realisieren.
d Viele neue Modelle kann man besonders gut im Ausland verkaufen.

zu Seite 151, 5

__9__ *müssen* oder *können?* → GRAMMATIK
Formen Sie die Konstruktionen mit *sein zu* + Infinitiv in Passiv-
konstruktionen um. Heißt es dabei *kann gemacht werden* oder *muss
gemacht werden*? Entscheiden Sie aufgrund des Kontextes.

Beispiele: Die Aufgabe ist nicht zu lösen.
     Die Aufgabe <u>kann</u> nicht gelöst werden.
     Die Hausaufgabe ist bis Montag zu machen.
     Die Hausaufgabe <u>muss</u> bis Montag gemacht werden.

a Der Antrag ist vollständig auszufüllen. Sonst erhält man
keine Unterstützung.
b Die Führerscheinprüfung ist leicht zu bestehen.
c Die Verkehrsregeln sind genau zu beachten.
d Das Obst ist schnellstens zu essen. Sonst verdirbt es.
e Die Mikrowelle ist recht praktisch, denn darin ist das Essen
schnell aufzuwärmen.
f Dafür sind allerdings nur Teller ohne Metallrand zu verwenden.

zu Seite 151, 5

__10__ **Wortbildung: Adjektiv mit** *-lich* **oder** *-bar*? → WORTSCHATZ
Finden Sie das passende Adjektiv.

a Zucker kann in Wasser **gelöst** werden. *Zucker ist in Wasser löslich.*
b Das Verschwinden der Papiere lässt sich nicht **erklären**.
c Die Regel kann man nicht auf alles **anwenden**.
d Sein Verhalten ist nicht zu **verzeihen**.
e Der Pullover kann in der Maschine **gewaschen** werden.
f Die Hitze in diesem Raum kann man nicht **ertragen**.
g Dieser Stift kann nicht **nachgefüllt** werden.
h Kann man den Text an der Tafel auch in der letzten Reihe **sehen**?
i Die Mathematikaufgabe ist nicht zu **lösen**.
j Jeder Mensch kann **ersetzt** werden.

LEKTION 8

zu Seite 153, 6

11 Statistik → WORTSCHATZ
Setzen Sie passende Verben ein.

(an)steigen – abnehmen – senken – steigern – zurückgehen – erhöhen – reduzieren

ⓐ Im vergangenen Jahr hatte das Unternehmen große Verluste. Die Zahl der verkauften Computer .... um 10 000 Stück auf 120 000 ....

ⓑ Daraufhin beschloss die Unternehmensführung, die Produktion für dieses Jahr um 5% zu ....

ⓒ Die Konkurrenz dagegen hatte ein Verkaufsplus von 8% zu verzeichnen. Wahrscheinlich wird sie auch in diesem Jahr die Verkaufszahlen weiter ....

ⓓ Wenn der Umsatz einer Firma sprungartig (+) .... oder (-) .... , sollte man nicht gleich die Zahl der Mitarbeiter .... bzw. ....

zu Seite 153, 6

12 Wortbildung: Nomen aus Verben → WORTSCHATZ
Welche Nomen kann man aus den Verben bilden?
Manchmal gibt es zwei oder drei Möglichkeiten.

produzieren	*die Produktion, der Produzent, das Produkt*
ergeben	
abnehmen	
verkaufen	
steigern	
herstellen	
anbieten	
nachfragen	
wachsen	
entwickeln	
bestellen	
einbrechen	

zu Seite 155, 3

13 Bericht über Elektroautos → LESEN
Lesen Sie den Bericht, unterstreichen Sie Schlüsselwörter und notieren Sie in der rechten Spalte Hauptinformationen.

Mitte Mai dieses Jahres starteten 50 elektrogetriebene Testautos auf ihrer alljährlichen „Tour de Sol". Wie jedes Jahr schien niemand dem Technik- und Umweltereignis besondere Aufmerksamkeit zu schenken. Die Konstrukteure der Elektrowagen, meist kleine und mittlere Unternehmen, Universitätsgruppen und Idealisten, waren unter sich, diskutierten technische Details und Finessen.

Doch kurz vor der letzten 115 Kilometer langen Etappe stand fest, dass Elektroautos billiger fahren als Benzinschlitten. Am Ende ergab die Kostenkontrolle am Taschenrechner sogar: Ein Elektroauto verursacht weniger als zwei Pfennig Energiekosten pro gefahrenem Kilometer, ein normales Benzinfahrzeug fünf Pfennig.

Hauptinformationen
*jährliche Testtour von 50 Elektroautos
relativ unbekannt
fast nur Konstrukteure anwesend*

Und in puncto Technologie sind die E-Wagen so gut wie nie zuvor, denn die so genannten Hybrid-Autos fahren mit einem Antriebssystem, dem eine große Zukunft prophezeit wird. Sie kombinieren Elektroantrieb und Benzinmotor. Der Benzinmotor läuft allerdings nur, wenn die Leistung der Batterie zur Neige geht. Ist dies der Fall, treibt er den Wagen an und lädt dabei die Batteriezellen wieder auf. Ansonsten werden die Batterien am gewöhnlichen Stromnetz wieder aufgetankt. Einige dieser Gefährte fahren jedoch bereits 500 Kilometer weit, ohne dass die Batterie schlappmachen würde.

Hauptinformationen

zu Seite 155, 3

14 Textzusammenfassung → SCHREIBEN

Formulieren Sie aus den Hauptinformationen in Aufgabe 13 einen kurzen Text (circa 80 Wörter). Achten Sie darauf, dass die Sätze gut aneinander anschließen.

Beginnen Sie so:

So Elektroautos starteten auf einer jährlichen, relativ unbekannten Testtour. Anwesend waren fast nur ...

zu Seite 158, 8

15 Relativsätze → GRAMMATIK

Formen Sie die Partizipialkonstruktionen in Relativsätze um.

Ein unbrauchbares Auto! Es hat ...

ⓐ eine klemmende Fahrertür = *eine Fahrertür, die klemmt*
ⓑ nach rechts ziehende Bremsen =
ⓒ einen verrosteten Außenspiegel =
ⓓ abgefahrene Reifen =
ⓔ ein nicht funktionierendes Radio =
ⓕ zu hoch eingestellte Scheinwerfer =
ⓖ einen zu wenig anzeigenden Tachometer =

zu Seite 158, 8

16 Wie lautet das Partizip? → GRAMMATIK

Bilden Sie aus den Relativsätzen Partizipialkonstruktionen.

ⓐ Waren, die neu produziert wurden = *neu produzierte Waren*
ⓑ Preise, die steigen =
ⓒ die Qualität, die nachlässt =
ⓓ ein Kunde, der meckert =
ⓔ Ware, die man zurückgegeben hat =
ⓕ das Geld, das kassiert wurde =
ⓖ ein Problem, das nicht gelöst wurde =
ⓗ Geschäftspartner, die streiten =

LEKTION 8

zu Seite 158, 8

17 Partizip I oder II? → GRAMMATIK
Verbinden Sie die Nomen und Verben zu einer
sinnvollen Partizipialkonstruktion.

Nomen	Verb	Partizip I	Partizip II
die Kilometer	fahren		*die gefahrenen Kilometer*
die Preise	steigen	*die steigenden Preise*	
die Kosten	kalkulieren		
die Bäume	schädigen		
der Motor	laufen		
der Stau	drohen		
die Lösung	vorschlagen		
die Alternative	passen		
die Bevölkerung	arbeiten		

zu Seite 158, 8

18 Partizipialkonstruktionen und Relativsätze → GRAMMATIK
Formen Sie die Sätze um.

Beispiele:
Seit kurzem gibt es eine Erfindung, **die alles verändert.**
Seit kurzem gibt es eine alles verändernde Erfindung.
Ein Ingenieur hatte eines Tages eine **überzeugende Idee.**
Ein Ingenieur hatte eines Tages eine Idee, die überzeugte.

ⓐ Er dachte darüber nach, wie man **mit Beruf und Familie belasteten**
Frauen das Leben erleichtern könnte.

ⓑ So erfand er ein Gerät, **das den Tagesablauf organisiert.**

ⓒ Denn Zeit, **die sinnvoll und effektiv genutzt wird,** ermöglicht wiederum mehr Freizeit.

ⓓ Man braucht nur alle **für den folgenden Tag geplanten** Tätigkeiten,
inklusive Termin- und Ortsangaben in die Maschine einzugeben.

ⓔ Sie erstellt dann einen für jeden **persönlich zugeschnittenen**
Tagesablauf.

ⓕ Dabei handelt es sich natürlich nur um einen Vorschlag, **der nach**
Wunsch noch zu verändern ist.

ⓖ Inzwischen ist auch die Zahl der Männer, **die an dem Gerät**
interessiert sind, schon stark gestiegen.

zu Seite 161, 2

19 Wortfeld: Geld – Kosten – Finanzen → WORTSCHATZ
ⓐ Suchen Sie aus der Broschüre im Kursbuch Seite 161 alle Wörter heraus, die mit „Geld – Kosten – Finanzen" zu tun haben.
Ordnen Sie die Wörter nach Wortarten.

Nomen	Verben	Adjektive
Kosten	abrechnen	bargeldlos
Kostenvergleich		

ⓑ Bilden Sie zehn Sätze mit den Wörtern, die Sie herausgeschrieben
haben.

Beispiel:
In den meisten Kaufhäusern kann man heutzutage <u>bargeldlos</u> bezahlen.

zu Seite 163, 4

__20__   Leserbrief → **SCHREIBEN**

Sie haben die Sendung zum Thema Elektroauto im Radio gehört (Hörtext zu Kursbuch Seite 155,2) und möchten in einem Leserbrief an die Rundfunkredaktion dazu Stellung nehmen.

Sagen Sie in Ihrem Leserbrief,
- warum Sie schreiben.
- welche der genannten Vorteile von Elektroautos für Sie wichtig,
- welche eventuell unwichtig sind.
- warum Sie dieser Meinung sind.
- ob für Sie die Vor- oder die Nachteile überwiegen.
- welche Schlüsse Sie daraus für die Verbreitung von Elektroautos ziehen.

Wählen Sie aus folgenden Redemitteln einige für Ihren Leserbrief aus:

das Thema einleiten	*In Ihrer letzten Radiosendung brachten Sie einen Beitrag über ...* *Vergangene Woche hörte ich Ihren Beitrag über ...*
die Argumentation einer Person (Gruppe) wiedergeben	*Die Befürworter von Elektroautos weisen darauf hin, dass ...* *Als weiteren Gesichtspunkt nennen sie ...* *Dazu wird folgende These aufgestellt: ...*
die eigene Meinung dazu äußern	*Diesem Argument stimme ich zu, denn ...* *Einige Gründe sprechen dafür, dass ...* *Zwar ist es richtig, dass ..., aber ...* *Diese Behauptung lässt sich leicht widerlegen ...*
die Argumentation der Gegner aufgreifen	*Die Kritiker wenden ein, dass ...* *Sie behaupten außerdem, ...* *Die Gegner der Elektroautos führen an, dass ...*
dazu Stellung nehmen	*Dieser Gesichtspunkt leuchtet mir ein. ...* *Andererseits muss man aber bedenken, dass ...* *Ich möchte dagegen einwenden, dass ...*
abschließend zusammenfassen und ein Fazit ziehen	*Man kann also festhalten, dass ...* *Man sollte schließlich zu einem Kompromiss kommen: ...*

Text zur Abbildung im Kursbuch, Seite 154 „Sprechen"

Sicher ist sicher

Aus Protest gegen den Verlust ihres Fahrradkellers, der beim Hausumbau einer Ladenerweiterung weichen musste, haben die Bewohner dieses Hauses in der Züricher Altstadt kurzerhand ihre Räder an die Fassade gebunden. Zwar erhielten sie einen Fahrradunterstand als Ersatz, der aber zu klein und zu unsicher ist – werden doch die Räder in diesem von Passanten häufig frequentierten Stadtteil kurzerhand geklaut. Statt die Räder mit in die engen Wohnungen zu nehmen, werden sie einfach aus dem Fenster gehängt.

1   ## Wortpaare

a Hören Sie die Wortpaare und sprechen Sie nach.

hoffen	–	offen
Ecke	–	Hecke
Haus	–	aus
erstellen	–	herstellen
Heimat	–	Eimer
elf	–	helfen

 2   ## Dehnungs-h nach Vokalen

Am Ende einer Silbe macht ein *h* einen Vokal lang,
aber man spricht es nicht.
Hören Sie und sprechen Sie nach.

fahren
ohne
Reihe
Lohn
Bahnfahrt
Unternehmen

 3   ## Knacklaut

Beginnen ein Wort oder eine Silbe mit einem Vokal, so wird dieser
nicht mit dem vorangegangenen Wort verbunden.

a Hören Sie die Sätze und sprechen Sie nach.

- Am Abend aßen alle Austern.
- Um acht Uhr erhoben alle ihr Glas.
- In unserem Auto ist essen erlaubt.

b Aus einem Lied:

Ob er aber über Oberammergau
oder aber über Unterammergau
oder aber überhaupt nicht kommt,
ist nicht gewiss.

 4   ## Potpourri

Hören Sie die Sätze und sprechen Sie nach.

- Halbstarke haben immer Ahnung.
- Hinten hat ein Auto eine Hecktür.
- Auf Eis helfen Handschuh und Ohrenwärmer.
- Am Haus hängende Fahrräder gefährden alle.

_5_   Diktat

Diktieren Sie Ihrer Nachbarin/Ihrem Nachbarn Teil **ⓐ** oder Teil **ⓑ** der Übung. Wer das Diktat hört und schreibt, schließt sein Buch.

ⓐ Ohne Auto auskommen heißt, auf Fahrrad oder Bahn umsteigen.

Einige haben es aber immer sehr eilig und hetzen mit dem Hund im Auto über rote Ampeln; andere halten an den Ampeln an.

ⓑ Der Hersteller hat insgesamt elfeinhalb Prozent mehr Umsatz als im Jahr zuvor.
In Hamburg hat ein alternatives Elektroauto einige eifrige Helfer heimgefahren.

LEKTION 8

Lernkontrolle: Was haben Sie in diesem Kapitel gelernt?
Kreuzen Sie an!

Rubrik	Handlungen	gut	besser als vorher	möchte ich noch vertiefen
Lesen	die Textstruktur von *Reportage* und *Wirtschaftstext* nachvollziehen	☐	☐	☐
	einen *Wirtschaftstext* Wort für Wort lesen	☐	☐	☐
	Hauptaussagen aus einem *Erfahrungsbericht* entnehmen	☐	☐	☐
Hören	Hauptinformationen aus einer *Radiosendung* entnehmen	☐	☐	☐
	beim zweiten Hören Detailinformationen entnehmen	☐	☐	☐
Schreiben	eine Geschichte nach Leitfragen erfinden und aufschreiben	☐	☐	☐
	in einem Leserbrief zu einem Thema Stellung nehmen	☐	☐	☐
Sprechen	ein Bild beschreiben und Vermutungen anstellen	☐	☐	☐
	ein Beratungsgespräch führen, d.h.: Fragen stellen, informieren und argumentieren	☐	☐	☐
Wortschatz	Wortschatz zum Thema „Fortbewegung"	☐	☐	☐
	Wortschatz zum Thema „Autowirtschaft" und „Statistik"	☐	☐	☐
Grammatik	Vorgangs- und Zustandspassiv unterscheiden und anwenden	☐	☐	☐
	die Ersatzformen des Passivs	☐	☐	☐
	Formen und Gebrauch von Partizip I und II	☐	☐	☐
Lerntechnik	Schreibanlässe bewusst machen	☐	☐	☐
	Merkmale verschiedener schriftlicher Textsorten erkennen	☐	☐	☐
	Textstrukturen erkennen	☐	☐	☐

Sprechen Sie mit Ihrer Kursleiterin/Ihrem Kursleiter über das Ergebnis.
Sie/Er wird Ihnen Tipps zum Weiterlernen geben.